KAMA SUTRA

MALLANAGA VATSYAYANA

KAMA SUTRA

Segundo a versão clássica
de RICHARD BURTON e F.F. ARBUTHNOT

JORGE ZAHAR EDITOR
Rio de Janeiro

Título original:
The Kama Sutra of Vatsyayana
Translated by Richard Burton and F.F. Artbuthnot

Copyright © 2002 desta edição:
Jorge Zahar Editor Ltda.
Rua México 31 sobreloja
20031-144   Rio de Janeiro, RJ
tel.: (21) 2240-0226 / fax: (21) 2262-5123
e-mail: jze@zahar.com.br
site: www.zahar.com.br

Tradução: Waltensir Dutra
Capa e projeto gráfico: Folio Design - Cristiana Barretto e Flávia Caesar
Ilustrações: Clarissa da Costa Moreira

CIP-Brasil. Catalogação-na-fonte
Sindicato Nacional dos Editores de Livros, RJ

Vatsyayana
V481k   Kama Sutra / Mallanaga Vatsyayana; segundo a versão
clássica de Richard Burton e F.F. Arbuthnot; tradução de
Waltensir Dutra. — Rio de Janeiro: Jorge Zahar Ed., 2002
:il.

Tradução de: The Kama Sutra of Vatysayana
ISBN 85-7110-629-0

1. Amor. 2. Sexo. 3. Comportamento sexual. I. Título

01-1619

CDD 392.6
CDU 392.61

SUMÁRIO

PREFÁCIO

Na literatura de todos os países existem algumas obras que versam especialmente sobre o amor. Em todas elas, esse tema é tratado de maneira diferente e de diversos pontos de vista. A presente obra tem como propósito ser uma tradução completa daquela que é considerada a obra clássica sobre o amor na literatura sanscrítica e que tem por título *Vatsyayana Kama Sutra*, ou *Aforismos sobre o amor*, de Vatsyayana.

A introdução apresentará os dados relativos à data em que a obra foi escrita e incluirá os comentários que lhe dizem respeito. Os capítulos seguintes serão a tradução da obra propriamente dita. É, porém, conveniente fazer aqui uma breve análise de outras obras do mesmo gênero, compostas por autores que viveram e escreveram anos depois do desaparecimento de Vatsyayana, mas que o consideravam ainda a grande autoridade e sempre o citaram como o principal guia para a literatura erótica hindu.

Além do tratado de Vatsyayana, são as seguintes as obras sobre o mesmo tema que se podem encontrar na Índia:

- *Ratirahasya*, ou *Segredos do amor*
- *Panchasakya*, ou *As cinco setas*
- *Smara Pradipa*, ou *A luz do amor*

- *Ratimanjari*, ou *A grinalda do amor*
- *Rasmanjari*, ou *O rebento do amor*
- *Anunga Runga*, ou *O palco do amor*; também chamada *Kamaledhiplava*, ou *Um barco no oceano do amor*.

Um poeta chamado Kukkoka é o autor de *Segredos do amor*. Compôs sua obra para agradar a um certo Vendutta, que se supõe ter sido um rei. Ao escrever seu nome ao final de cada capítulo, ele se intitula *Siddha patiya pandita*, isto é, um homem talentoso entre os sábios. A obra foi traduzida para o hindi há alguns anos e nessa versão o nome do autor surgia com a grafia abreviada de Koka. E à medida que o mesmo nome passou a ser adotado em todas as traduções da obra em outras línguas indianas, o livro tornou-se conhecido e o assunto passou a ser designado habitualmente por Koka Shastra, ou doutrinas de Koka, e a identificar-se também com o Kama Shastra, ou doutrinas do amor, passando as expressões Koka Shastra e Kama Shastra a serem usadas indiscriminadamente.

A obra contém cerca de 800 versículos e divide-se em dez capítulos intitulados *Pachivedas*. Alguns dos assuntos tratados nessa obra não se encontram em Vatsyayana, como ocorre com os quatro tipos de mulheres — Padmini, Chitrini, Shankini e Hastini — bem como com a enumeração dos dias e das horas em que as mulheres dos diferentes tipos estão sujeitas à influência do amor. O autor acrescenta que se inspirou nas opiniões de Gonikaputra e Nandikeshwara, ambos mencionados por Vatsyayana, mas cujas obras se perderam. É difícil chegar a uma idéia aproximada do ano em que a obra foi escrita. Presume-se, porém, que o tenha sido depois do *Kama Sutra* e antes das outras obras sobre o mesmo tema que chegaram até nós. Entre os nomes dos autores que trataram do assunto e cujas obras consultou (mas que se perderam), Vatsyayana não menciona o de Kukkoka, o que parece confirmar a suposição de que este viveu em uma época posterior. Se assim não fosse, Vatsyayana certamente teria feito referência a ele como cultor desse tipo de literatura, juntamente com outros.

O autor de *As cinco setas* foi um certo Jyotirisha, também conhecido como o mais eminente dos poetas, o tesouro das 64 artes e o melhor mestre das regras da música. Ele próprio afirma que compôs a obra após ter refletido sobre os aforismos do amor tal como foram revelados pelos deuses e ter estudado as opiniões de Gonikaputra, Muladeva, Babhravya, Ramtideva, Nandikeshwara e Kshemandra. É impossível dizer se realmente consultou todos esses autores, ou apenas ouviu falar deles; de qualquer modo, nenhuma dessas obras parece existir hoje. *As cinco setas* têm cerca de 600 versos e dividem-se em cinco capítulos, chamados *Sayakas*, ou setas.

O poeta Gunakara, filho de Vechapati, foi o autor de *A luz do amor*. A obra divide-se em 400 versos e faz apenas uma breve resenha das doutrinas do amor, tratando principalmente de outras questões.

A grinalda do amor é obra do famoso Jayadeva, que se considerava um autor capaz de tratar de todos os assuntos. Esse tratado é, porém, muito breve, ocupando apenas 125 versos.

O autor de *O rebento do amor* era um poeta chamado Bhanudatta. Pelo último verso do manuscrito vê-se que era residente da província de Tirhoot e filho de um brâmane chamado Ganeshwar, também poeta. Escrito em sânscrito, esse trabalho descreve diferentes tipos de homens e mulheres segundo suas idades, aspecto físico, conduta etc. Compreende três capítulos, e sua data não é conhecida, nem pode ser verificada.

O palco do amor foi composto pelo poeta Kullianmull, para o entretenimento de Ladkhan, filho de Ahmed Lodi, o mesmo Ladkhan que é por vezes mencionado como Ladana Mull, e em outros trechos como Ladanaballa. Supõe-se que fosse aparentado com a Casa de Lodi, ou a ela estivesse ligado. Lodi reinou no Indostão entre 1450 e 1526. Portanto, a obra teria sido escrita nos séculos XV ou XVI. Está dividida em dez capítulos e foi traduzida em inglês, mas apenas seis exemplares foram impressos para circulação privada. Segundo se crê, foi a mais recente das obras em sânscrito sobre o tema, e as idéias nela expressas foram evidentemente colhidas em escritos anteriores do mesmo gênero.

O conteúdo dessas obras constitui, em si, uma curiosidade. Há na poesia e no drama sânscritos uma certa dose de sentimento poético e de romance que, em todos os países e em todas as línguas para as quais foram vertidos, conferiram-lhe uma aura de imortalidade. Mas o tema é tratado aqui de uma forma franca, simples e objetiva. Homens e mulheres são divididos em classes, da mesma maneira que Buffon e outros autores que se ocuparam de história natural classificaram e dividiram o reino animal. Assim como os gregos representavam em Vênus o tipo de beleza feminina, os hindus descrevem a mulher Padmini ou Lótus como o tipo mais perfeito de excelência feminina:

Aquela que ostentar os seguintes sinais e traços recebe a designação de Padmini. Seu rosto é agradável como a lua cheia; seu corpo, bem revestido de carnes, é macio como as Shiras, ou flores da mostarda; sua pele é delicada e clara como o lótus amarelo; sem ser nunca escura. Os seus olhos são brilhantes e belos como os da corça, bem rasgados e com cantos avermelhados. O seu seio é firme, amplo e alto; ela tem um pescoço formoso; seu nariz é reto e adorável; e três pregas, ou rugas, cruzam-lhe a cintura em torno da região umbilical. A sua *yoni* assemelha-se ao botão do lótus ao desabrochar e seu sêmen do amor *(Kama Salila)* é perfumado como o lírio recém-aberto. Caminha com a graça do cisne e sua voz é suave e musical como as notas do canto do pássaro Kokila; deleita-se no uso de roupa branca, belas jóias e roupas ricas. Come frugalmente e tem o sono leve; sendo respeitadora e religiosa tal como é inteligente e cortês, mostra-se sempre pronta a prestar culto aos deuses e desfrutar o convívio dos brâmanes. Tal é, pois, a Padmini, ou a mulher lótus.

Seguem-se então descrições pormenorizadas da Chitrini, ou mulher Arte; da Shankhini, ou mulher Concha, e da Hastini, ou mulher Elefanta, seus dias de prazer, das suas diversas zonas erógenas, da maneira como devem ser manipuladas e tratadas quando das relações sexuais, juntamente com as características dos homens e das mulheres dos vários países do Indostão. Os detalhes são tão numerosos, o assunto tratado de maneira tão séria e com tantos detalhes, que o tempo e o espaço não permitem sua reprodução aqui.

Há um livro na língua inglesa que se assemelha um pouco a esses tratados dos hindus. É chamado *Kalogynomia*, ou *As leis da beleza feminina*. Essa obra, de autoria do médico T. Bell e impressa em Londres em 1821, expõe os princípios básicos daquela ciência e inclui como curiosidade 24 gravuras. Trata da beleza, do amor, das relações sexuais, das leis que a regulam, da monogamia e da poligamia, da prostituição, da infidelidade, terminando com um *catalogue raisonnée* dos defeitos da beleza feminina.

Outras obras inglesas entram também em muitos detalhes da vida privada e doméstica: *Os elementos das ciências sociais, ou a religião física, sexual e natural*, escrita por um doutor em Medicina de Londres em 1880; e *O livro de todas as mulheres*, do Dr. Waters, de 1826. As pessoas interessadas nos assuntos acima verão que tais obras encerram detalhes que raramente foram publicados antes e que devem ser perfeitamente compreendidos por todos os filantropos e benfeitores da sociedade.

Depois da leitura da obra hindu e dos livros ingleses mencionados acima, o leitor compreenderá o assunto, pelo menos de um ponto de vista materialista, realista e prático. Se toda ciência se baseia, em menor ou maior grau em fatos, não pode haver dano em tornar conhecidos dos homens em geral certas questões intimamente relacionadas com a sua vida privada, doméstica e social.

A completa ignorância dessas questões tem, infelizmente, destruído muitos homens e muitas mulheres, quando um pequeno conhecimento dessa matéria, geralmente ignorada pelas massas, teria permitido a numerosas pessoas compreender muitas coisas que lhes pareciam totalmente incompreensíveis, ou que não eram consideradas dignas de sua atenção.

INTRODUÇÃO

Talvez seja do interesse de alguns leitores saber como o Vatsyayana foi descoberto e traduzido para o inglês. Eis o que aconteceu: ao traduzir com os pânditas o *Anunga Runga*, ou *O palco do amor*, encontramos freqüentes referências a um certo Vatsya. O sábio Vatsya disse isto ou aquilo etc. Surgiram naturalmente perguntas sobre quem era esse sábio e os pânditas responderam que era o autor da obra clássica sobre o amor na literatura sanscrítica, que nenhuma biblioteca dessa literatura seria completa sem tal obra e que era extremamente difícil consegui-la em sua totalidade. A cópia do manuscrito obtida em Bombaim era incompleta, e os pânditas escreveram a Benares, Calcutá e Jeypoor pedindo outras às bibliotecas sanscríticas. Essas cópias foram então comparadas, e com a ajuda de um comentário chamado *Jayamangla*, preparou-se uma versão revista, sobre a qual foi feita a tradução inglesa. Eis a certidão passada pelo pândita mais importante:

> "O manuscrito incluso foi corrigido por mim depois de compará-lo a quatro cópias diferentes do mesmo trabalho. Tive a assistência de um comentário chamado *Jayamangla* para corrigir as cinco primeiras partes, mas foi grande a dificuldade na correção das restantes porque com exceção de uma cópia razoavelmente correta, todas as demais tinham grandes inexatidões. Considerei, porém, corretas as partes nas quais a maioria das cópias concordavam entre si."

Os *Aforismos sobre o amor* de Vatsyayana têm cerca de 1.250 *slokas*, ou versículos, e divide-se em cinco partes, estas em capítulos, que por sua vez se dividem em parágrafos. Há, no total, sete partes, 36 capítulos e 64 parágrafos. Quase nada se conhece sobre o autor. Seu verdadeiro nome seria, ao que se supõe, Mallinaga ou Mrillana, sendo Vatsyayana o nome de família. Ao término da obra, ele diz o seguinte a seu próprio respeito:

Depois de lidas e ponderadas as obras de Babhravya e outros autores antigos, e de reflexões sobre o significado das regras por eles formuladas, foi escrito este tratado segundo os preceitos da Sagrada Escritura, em benefício do mundo, por Vatsyayana, então estudante de religião em Benares e inteiramente entregue à contemplação da Divindade. Esta obra não deve ser usada apenas como instrumento para a satisfação de nossos desejos. Aquele que conhece os verdadeiros princípios desta ciência, que preserva seu Dharma (virtude ou mérito religioso), seu Artha (bens mundanos) e seu Kama (prazer ou satisfação sensual), e que respeita os costumes, certamente conseguirá dominar seus sentidos. Em suma, o homem sagaz e prudente praticando o Dharma, o Artha e também o Kama, sem se tornar escravo das paixões, consegue êxito em todos os seus empreendimentos.

É impossível fixar a data exata, seja da vida de Vatsyayana ou de sua obra. Acredita-se que ele tenha vivido entre os séculos I e VI da era cristã, pelas razões que se seguem. Diz ele que Satakarni Satavahana, rei de Kuntal, matou Malayevati, sua mulher, com um instrumento chamado *kartari*, golpeando-a em meio à paixão do amor, e Vatsya menciona o caso como advertência ao perigo representado pelo antigo costume de bater nas mulheres, sob a influência dessa paixão. Ora, esse rei de Kuntal teria vivido e reinado no primeiro século da era cristã e, portanto, Vatsya deve ter vivido depois dele. Por outro lado, Virahamihira, no 18º capítulo de seu *Brihatsanhita*, trata da ciência do amor e parece ter-se inspirado muito em Vatsyayana. Afirma-se que Virahamihira viveu no século VI, e, como Vatsya forçosamente escreveu sua obra antes dele, isso não pode ter ocorrido antes do século I, nem depois do século VI de nossa era, devendo esta ser considerada a data aproximada de sua existência.

Só são conhecidos dois comentários sobre o texto dos *Aforismos sobre o amor* de Vatsyayana. Um deles chama-se *Jayamangla*, ou *Sutrabashya*, e o outro, *Sutra vritti*. A data do *Jayamangla* foi fixada entre os séculos X e XIII, porque, ao falar das 64 artes são citados exemplos do *Kavyaprakasha*, escrito por volta do século X. Também nesse caso a cópia do comentário que conseguimos era evidentemente uma transcrição de um manuscrito existente outrora na biblioteca de um certo rei Chaulukyan, chamado Vishaladeva, fato esse deduzido da frase seguinte, que se encontra no seu final:

> Aqui termina a parte relacionada com a arte do amor no comentário sobre o *Vatsyayana Kama Sutra*, cópia da biblioteca do rei dos reis, Vishaladeva, que era um herói poderoso, por assim dizer um segundo Arjuna, e a jóia mais brilhante da família Chaulukya.

Hoje é notório que esse rei governou em Guzerat entre 1244 e 1262 e fundou uma cidade chamada Visalnagur. Portanto, a data do comentário não deve ser anterior ao século X nem posterior ao XIII. Seu autor teria sido um certo Yashodhara, sendo Indrapada o nome que lhe foi dado por seu preceptor. Ele parece ter escrito o comentário durante um período de sofrimentos provocados pela separação de uma mulher inteligente e astuta, pelo menos é o que diz ao final de cada capítulo. Presume-se que deu ao seu trabalho o nome da amante ausente, ou a palavra tenha alguma relação com esse nome.

Esse comentário foi extremamente útil na interpretação do verdadeiro significado de Vatsyayana, pois o seu autor parece ter um bom conhecimento da época, oferecendo por vezes informações muito minuciosas. O mesmo não se pode dizer sobre o outro comentário, o *Sutra vritti*, escrito por Narsing Shastri por volta de 1789. Esse autor era discípulo de Sarveshwar Shastri e descendia, como Vatsyayana, de Bhaskur, pois se intitula, ao final de cada parte da obra, Bhaskur Narsing Shastri. Foi incumbido de escrever o comentário pelo erudito rajá Vrijalala quando residia em Benares. Os méritos de seu trabalho não são, no entanto, dignos de maiores louvores, pois em muitas passagens ele nos dá a impressão de não ter compreendido o sentido exato do original, chegando até mesmo a introduzir alterações em muitos trechos da obra, a fim de os harmonizar com as suas explicações.

Segue-se uma tradução completa da obra original, preparada com toda a fidelidade ao texto manuscrito e apresentada sem mais comentários, tal como elaborada a partir do original.

PARTE I

INTRODUÇÃO

CAPÍTULO I

Prefácio

Saudação a Dharma, Artha e Kama

No princípio, o Senhor dos Seres criou os homens e as mulheres e, na forma de mandamentos em cem mil capítulos, formulou as regras de sua existência em relação ao Dharma,[1] ao Artha[2] e ao Kama[3]. Alguns desses mandamentos, ou seja, os que tratavam do Dharma, foram escritos separadamente por Swayambhu Manu; os relacionados ao Artha foram compilados por Brihaspati; e os relativos ao Kama foram expostos por Nandi, seguidor de Mahadeva, em mil capítulos.

Por sua vez, esse *Kama Sutra (Aforismos sobre o amor)*, escrito por Nandi em mil capítulos, foi reproduzido por Shvetaketu, filho de Uddvalaka, de forma abreviada, em 500 capítulos, obra essa que foi igualmente reproduzida em forma condensada, em 150 capítulos, por Babhravya, herdeiro da região de Punchala (ao sul de Deli). Esses 150 capítulos foram então reunidos sob sete títulos ou partes que tiveram as seguintes denominações:

1. Sadharana (assuntos gerais)

---

[1] Dharma é a aquisição do mérito religioso, estando detalhadamente descrito no capítulo 5, vol. III da *History of India* de Talboys Wheeler e nos editos de Asoka.

[2] Artha é a aquisição de riquezas e bens etc.

[3] Kama é o amor, o prazer, a satisfação sensual.

Essas três palavras são mantidas em todo o livro, em sua forma original, como expressões técnicas. Também podem ser definidas como a virtude, a riqueza e o prazer, três coisas repetidamente mencionadas nas Leis de Manu.

2. Samprayogika (abraços etc.)
3. Kanya Samprayuktaka (união de machos e fêmeas)
4. Bharyadhikarika (sobre a própria esposa)
5. Paradika (sobre as esposas dos outros)
6. Vaisika (sobre as cortesãs)
7. Aupamishadika (sobre as artes da sedução, tônicos, etc.)

A sexta parte dessa última obra foi desenvolvida separadamente por Dattaka, a pedido das mulheres públicas de Pataliputra (Patna); da mesma forma Charayana explicou a sua primeira parte. As partes restantes, foram, cada uma delas separadamente, expostas por:

• Suvarnanabha (segunda parte)
• Ghotakamukha (terceira parte)
• Gonardiya (quarta parte)
  Gonikaputra (quinta parte)
• Kuchumara (sétima parte), respectivamente.

Tendo, dessa forma, sido a obra escrita em partes, por diferentes autores, era quase impossível de ser conseguida e, além disso, como as partes tratadas por Dattaka e pelos autores restantes tratavam apenas de campos específicos do assunto a que cada uma delas dizia respeito, e, além do mais, como a obra original de Babhravya era de leitura difícil por causa de sua extensão, Vatsyayana compôs a presente obra num pequeno volume como uma súmula de todos os trabalhos dos citados autores.

PARTE I - INTRODUÇÃO

I. Prefácio
II. Observações sobre os três objetivos terrenos: a Virtude, a Riqueza e o Amor
III. Sobre o estudo das 64 Artes
IV. Sobre o arranjo da casa e do seu mobiliário; e sobre a vida cotidiana de um citadino, suas companhias, distrações etc.

V. Sobre as classes de mulheres adequadas e inadequadas ao congresso com o citadino, suas companhias, diversões etc.

PARTE II - DA UNIÃO SEXUAL

I. Tipos de união de acordo com as dimensões, a força do desejo e o momento; e sobre os diferentes tipos de amor

II. Do abraço

III. Do beijo

IV. Da pressão e dos arranhões com as unhas

V. Da mordida e dos artifícios do amor a serem empregados em relação às mulheres dos diferentes países

VI. Das várias maneiras de se deitar e das diversas formas de congresso

VII. Das várias maneiras de bater e dos sons que lhes correspondem

VIII. Das mulheres que desempenham o papel dos homens

IX. Da introdução do linga na boca

X. Do começo e do fim do congresso. Diferentes tipos de congresso e brigas de amor

PARTE III - DA AQUISIÇÃO DE UMA ESPOSA

I. Observações sobre o noivado e o casamento

II. Como conquistar a confiança da jovem

III. Do namoro e da manifestação dos sentimentos por sinais e atos

IV. Dos atos que são próprios dos homens na conquista da jovem, e também o que esta deve fazer para conquistar e sujeitar o homem

V. Das diferentes formas de casamento

PARTE IV - DA ESPOSA

I. Do modo de vida da mulher virtuosa e de seu comportamento na ausência do marido

II. Do comportamento da mulher mais velha para com as outras esposas de seu marido, e da esposa mais nova para com as mais velhas, e também da conduta de uma viúva virgem ao casar-se novamente; de uma esposa desprezada pelo marido; das mulheres do harém real; e do marido que tem mais de uma esposa

PARTE V - DAS ESPOSAS DOS OUTROS

I. Das características dos homens e mulheres e das razões pelas quais as mulheres rejeitam a corte dos homens. Dos homens que têm sucesso com as mulheres, e das mulheres que são facilmente conquistadas

II. Dos meios de travar relações com a mulher e dos esforços para conquistá-la

III. Exame do estado de espírito de uma mulher

IV. Da função da alcoviteira

V. Do amor das autoridades com as mulheres dos outros

VI. Das mulheres do harém real e da guarda da própria esposa

PARTE VI - DAS CORTESÃS

I. Das razões pelas quais a cortesã recorre aos homens, dos meios que utilizam para se ligarem ao homem desejado, e do tipo de homem com quem é conveniente se relacionarem

II. Da cortesã que vive maritalmente com um homem

III. De como ganhar dinheiro; dos indícios de que o amante começa a cansar-se e da maneira de se livrar dele

IV. Da nova união com o antigo amante

V. Dos diferentes tipos de vantagens

VI. Das vantagens e desvantagens, das vantagens e desvantagens concomitantes e das dúvidas; finalmente, dos diferentes tipos de cortesãs

PARTE VII - DOS MEIOS PARA ATRAIR OS OUTROS

I. Dos enfeites pessoais que sujeitam o coração dos outros, e dos medicamentos tônicos

II. Dos meios de provocar o desejo e das maneiras de aumentar o linga. Experiências e receitas diversas.

CAPÍTULO II

Da aquisição de Dharma, Artha e Kama

O homem, cujo período de vida é de cem anos, deve praticar Dharma, Artha e Kama em diferentes momentos e de tal modo que eles se harmonizem entre si sem atritos. Deve adquirir conhecimento na infância; na juventude e na idade madura, ocupar-se de Artha e de Kama e, na velhice, dedicar-se a Dharma, buscando com isso a conquista de Moksha, isto é, libertar-se de novas transmigrações. Ou então, dada a incerteza da vida, poderá praticá-los nas épocas indicadas. Uma coisa, porém, deve ser notada: ele deve viver como um estudante religioso até concluir sua educação.

Dharma é a obediência ao mandamento de Shastra, ou a Sagrada Escritura dos hindus, em relação a certas coisas (como a realização de sacrifícios) que não são, em geral, feitas, porque não pertencem a este mundo e não produzem efeitos visíveis. E não fazer outras coisas, como comer carne, praticadas com freqüência por serem ações deste mundo, com efeitos visíveis.

Dharma é ensinado pelo Shruti (Sagrada Escritura), e por aqueles que estão familiarizados com ela.

Artha é a aquisição das artes, terra, ouro, gado, riqueza, bens e amigos. É, além disso, a proteção do que se adquire e o aumento daquilo que se protege.

Artha deve ser aprendido com os funcionários reais e com os negociantes versados na arte do comércio.

Kama é o gozo do que for tangido pelos cinco sentidos – audição, tato, visão, paladar e olfato – com a ajuda da mente e da alma. A sua essência é um contato peculiar do órgão sensório com seu objeto, sendo a consciência do prazer resultante desse contato chamada Kama.

Kama deve ser aprendido no *Kama Sutra (Aforismos sobre o amor)* e com a prática dos citadinos.

Quando os três, Dharma, Artha e Kama, se juntam, o anterior é melhor do que o seguinte, ou seja, Dharma é melhor do que Artha, e Artha é melhor do que Kama. Mas Artha deve ser sempre praticado em primeiro lugar pelo rei, pois é apenas de Artha que depende a sobrevivência dos homens. Sendo o Kama a ocupação das mulheres públicas, elas o devem preferir aos dois outros, mas estas são exceções à regra geral.

OBJEÇÃO I

Alguns sábios dizem que Dharma, por se relacionar com coisas que não são deste mundo, pode ser abordado de maneira adequada num livro; assim como Artha, por ser praticado apenas pela aplicação dos meios adequados, cujo conhecimento só pode ser obtido pelo estudo e pelos livros. Mas sendo o Kama algo que é praticado até mesmo pelos animais irracionais e se encontra por toda a parte, não necessita de nenhum livro que o ensine.

RESPOSTA

Não é assim. As relações sexuais, porque dependem do homem e da mulher, requerem a aplicação de meios adequados por eles e tais meios devem ser aprendidos no Kama Shastra. A não-aplicação dos meios adequados, como observamos entre os animais irracionais, deve-se ao fato de não estarem sujeitos a quaisquer restrições, de as fêmeas apenas se encontrarem aptas para as relações sexuais em determinadas ocasiões e, finalmente, de as suas relações sexuais não serem precedidas de qualquer reflexão.

OBJEÇÃO 2

Os Lokayatikas[1] dizem: os mandamentos religiosos não devem ser observados, pois só produzem frutos no futuro, sendo ao mesmo tempo duvidoso que produzam quaisquer frutos. Qual o tolo que abrirá mão daquilo que já é seu, dando para outros? Além disso, é melhor ter um pombo hoje do que um pavão amanhã; e uma moeda de cobre que temos a certeza de ganhar é melhor do que uma moeda de ouro cuja posse é duvidosa.

RESPOSTA

Não é assim.

1ª A Sagrada Escritura, que institui a prática do Dharma, não admite dúvidas.

2ª Sacrifícios como os que são feitos para a destruição dos inimigos, ou para propiciar a chuva, produzem frutos visíveis.

3ª O Sol, a lua, as estrelas, os planetas e outros corpos celestes parecem funcionar intencionalmente para o bem do mundo.

4ª A existência do mundo é assegurada pela observação das regras relativas às quatro classes de homens e às quatro fases da vida.[2]

5ª Vemos que a semente é lançada com a esperança de futuras colheitas. Portanto, Vatsyayana é de opinião que os mandamentos da religião devem ser obedecidos.

OBJEÇÃO 3

Aqueles que acreditam ser o destino o principal responsável por todas as coisas dizem:

Não nos devemos esforçar para conseguir riqueza, pois muitas vezes ela não é alcançada apesar de nossos esforços, enquanto em outras circunstâncias ela

---

[1] Trata-se, sem dúvida, de materialistas que parecem considerar que um pássaro na mão vale tanto quanto dois voando.

[2] Entre os hindus, as quatro classes de homens são: os brâmanes ou sacerdotes, os *xátrias* ou guerreiros, os *vaixiás* ou agricultores e comerciantes, e os *sudras* ou trabalhadores braçais. As quatro fases da vida são: a vida de estudante religioso, a vida de dono de casa, a vida de ermitão e a vida de *sunyasi* ou devoto.

nos chega sem que para isso nos empenhemos. Tudo está, portanto, nas mãos do destino, o senhor dos ganhos e perdas, do sucesso e do fracasso, do prazer e da dor. Vemos, assim, que Bali[3] ascendeu ao trono de Indra através do destino, e dele foi derrubado pela mesma força, a única capaz de recolocá-lo ali.

RESPOSTAS

Não é certo dizer isso. Como a aquisição de qualquer objeto pressupõe, em todos os casos, um certo esforço da parte do homem, a aplicação de meios adequados é necessária (mesmo quando o destino já está traçado), e quem nada fizer não desfrutará de nenhuma felicidade.

OBJEÇÃO 4

Os que acreditam ser Artha o principal objeto a conquistar argumentam da maneira que se segue: Os prazeres não devem ser procurados porque constituem obstáculos à prática de Dharma e de Artha, ambos superiores a eles, e também são repudiados pelas pessoas de mérito. Os prazeres conduzem ainda o homem à miséria moral e o colocam em contato com gente vil; levam-no a cometer atos iníquos e tornam-no impuro, indiferente ao futuro, além de estimularem ao abandono e à leviandade. E, por fim, desmoralizam o

---

[3] Bali foi um demônio que conquistou Indra e tomou-lhe o trono, porém foi mais tarde dominado por Vixenu, à época de sua quinta encarnação.

homem, que deixa de ser recebido e é desprezado por todos, inclusive por si mesmo. Além disso, é notório que muitos homens que se entregaram unicamente ao prazer, cavaram a sua própria ruína e a dos familiares e amigos. Foi assim que o rei Dandakya da dinastia Bhoja, que raptou a filha de um brâmane com propósitos vis, acabou por se arruinar e por perder o reino. Indra, que havia violado a castidade de Ahalya,[4] foi punido por esse ato. Da mesma forma, o poderoso Kichaka, que tentou seduzir Draupadi, e Ravana, que tentou abusar de Sita, foram castigados pelos seus crimes. Eles, e muitos outros, perderam-se pelos seus prazeres.

RESPOSTA

Essa objeção é insustentável, pois sendo os prazeres tão necessários à existência e bem-estar do corpo quanto os alimentos, são por conseguinte igualmente legítimos. Constituem, além disso, emanações de Dharma e de Artha. Os prazeres devem, portanto, ser procurados com moderação e prudência. Ninguém se abstém de cozinhar em razão dos mendigos que vêm pedir comida, ou de semear porque a corça pode destruir a seara, quando esta crescer.

Assim, o homem que pratique Dharma, Artha e Kama desfruta felicidade tanto neste mundo como no outro que há de vir. Os bons praticam ações cujas conseqüências não despertam receios quanto ao que lhes pode acontecer no outro mundo, nem colocam em risco seu bem-estar. Toda ação que conduza à realização simultânea de Dharma, Artha e Kama, ou de dois deles, ou mesmo de um, deve ser praticada, mas uma ação que conduza à obtenção de uma delas em detrimento das duas outras não deve ser praticada.

---

[4] Dandakya teria seqüestrado da floresta a filha de um brâmane, chamada Bhargava e, amaldiçoado pelo pai, foi sepultado com seu reino sob uma chuva de pó. A floresta ficou conhecida como Dandaka e foi celebrada no *Ramayana*, mas seu local é hoje desconhecido. Ahalya era a esposa do sábio Gautama. Indra levou-a a supor que ele era o próprio Gautama para possuí-la. Foi amaldiçoado por este e mil chagas se abriram em seu corpo. Kichaka era o cunhado do rei Virata, sob cuja proteção se acolheram durante um ano os Pandavas. Kichaka foi assassinado por Bhima, que se disfarçou com as vestes de Draupadi. Sobre essa história, ver o *Mahabarata*, poema da autoria de Vyasa. A história de Ravana é contada por Valmiki no *Ramayana*. Este e o *Mahabarata* constituem os dois grandes poemas épicos hindus.

CAPÍTULO III

Das artes e ciências a serem estudadas

O Kama Sutra, e as artes e ciências a ele subordinadas, bem como as artes e ciências contidas em Dharma e Artha, devem ser estudados. Até mesmo as moças devem estudar o Kama Sutra, juntamente com suas artes e ciências, antes do casamento, e depois dele devem continuar a estudá-lo, se assim permitirem seus maridos.

Alguns sábios levantaram objeções, dizendo que, não sendo permitido às mulheres o estudo de qualquer ciência, não devem também estudar o Kama Sutra.

Vatsyayana, porém, é de opinião que tal objeção não é válida, pois as mulheres já conhecem a prática do Kama Sutra, e esta vem do Kama Shastra, ou a própria ciência de Kama. Além disso, não ocorre apenas neste caso, mas também em muitos outros, onde a prática de uma ciência, apesar de ser de domínio público, somente um número reduzido de pessoas esteja familiarizado com os princípios e leis em que essa ciência se fundamenta. Assim, os *Yadnikas*, ou sacrificadores, embora desconhecendo a gramática, usam as palavras adequadas ao se dirigirem às diferentes Divindades, e não sabem como tais palavras são criadas. E as pessoas cumprem os rituais que lhes são exigidos nos dias auspiciosos, fixados pela astrologia, embora não conheçam essa ciência. Da mesma forma, os treinadores de cavalos e elefantes treinam esses animais baseados apenas na prática, sem qualquer ciência. Igualmente, as pessoas das províncias mais distantes respeitam as leis do reino apenas pela prática e porque acima delas há um rei e apenas por essa razão.[1] E a experiência nos mostra que certas mulheres, como as filhas de príncipes e de seus ministros, e as mulheres públicas, são versadas no Kama Shastra.

A mulher, portanto, deve aprender o Kama Shastra, ou pelo menos parte dele, estudando sua prática com alguma amiga íntima. Deverá estudar sozinha as 64 práticas que são parte do Kama Shastra. Sua instrutora deverá ser uma das pessoas seguintes: a filha de uma ama que tenha sido criada com ela, e já casada,[2] ou uma amiga de toda a confiança, ou a irmã de sua mãe (ou seja, sua tia), ou uma velha criada, ou uma mendiga que pode ter vivido antes junto com a sua família, ou a própria irmã, que é sempre digna de confiança.

As artes a serem estudadas juntamente com o Kama Sutra são as seguintes:

- O canto
- A arte de tocar instrumentos musicais
- A união entre dança, canto e música instrumental
- A escrita e o desenho
- A tatuagem
- Adorno e enfeite de um ídolo com espigas de arroz e flores
- A arrumação de canteiros de flores, ou de flores pelo chão
- A pintura dos dentes, das roupas, cabelos, unhas e corpos, isto é, a arte de tingir, colorir e pintar
- A colocação de vidros de cores no pavimento
- A arte de fazer as camas e estender tapetes e almofadas para recosto
- Tocar música em copos cheios d'água
- Acumular e conservar água em cisternas, aquedutos e reservatórios
- Pintura, ornamentação e decoração
- A confecção de rosários, grinaldas e coroas
- O preparo de turbantes, toucados de flores, grinaldas e laços de flores

---

[1] O autor quer provar que muitas coisas são feitas apenas pela prática e costume, sem que as pessoas que as fazem conheçam a razão das coisas ou as leis em que se baseiam, o que é exato.

[2] A condição de ser casada aplica-se a todas as instrutoras.

- A arte de representar
- A arte de confeccionar brincos para as orelhas
- A arte de preparar perfumes e essências
- A arte de usar jóias, enfeites e ornamentos na roupa
- Magia ou feitiçaria
- Habilidade e destreza das mãos
- Arte culinária
- Preparo de limonadas, sorvetes, bebidas ácidas, licores de aromas e cores apropriados
- A arte do corte e costura
- A confecção de papagaios, flores, ramalhetes, borlas, botões, laços etc., a partir de diferentes fios
- A solução de adivinhas, enigmas, jogos de palavras e perguntas
- Um jogo que consiste na repetição de versos: quando uma pessoa acaba de recitar, a outra tem de começar imediatamente, recitando um verso diferente, mas iniciado pela última letra do último verso recitado; perde quem interromper a cadeia, sendo obrigado a pagar uma prenda
- A arte da mímica ou imitação
- A leitura, que inclui o canto e a entoação
- O estudo de frases de pronúncia difícil. É um entretenimento praticado principalmente por mulheres e crianças, e que consiste em repetir rapidamente uma frase difícil, quando é comum a transposição ou o erro de pronúncia de uma palavra
- Os exercícios com a espada, o pau, o bastão e o arco e flecha
- A arte de tirar inferências, de raciocinar ou inferir
- A carpintaria
- A arquitetura, ou a arte da construção
- O conhecimento das moedas de ouro e prata, das jóias e pedras preciosas
- A química e a mineralogia
- A arte de colorir jóias, pedras preciosas e contas
- Conhecimentos de minas e pedreiras

- A jardinagem; a arte de tratar as doenças das árvores e plantas, de cuidar de seu crescimento e de determinar a sua idade
- A arte de dirigir as brigas de galos, codornizes e carneiros
- A arte de ensinar papagaios e estorninhos a falar
- A arte de aplicar ungüentos perfumados no corpo, e de impregnar os cabelos com ungüentos e perfumes, e de entrançá-los
- A arte de compreender textos codificados e de redigir palavras de diferentes maneiras
- A arte de falar modificando as palavras, e que pode ser praticada de várias maneiras. Uns alternam o princípio e o fim, outros intercalam sons supérfluos entre as sílabas de uma palavra etc.
- O domínio de línguas e dialetos vernáculos
- A arte de adornar carros e flores
- A arte de desenhar diagramas místicos, de fazer encantamentos e feitiços e de ligar braceletes
- Exercícios mentais, como completar estrofes ou versos de que se tenha apenas uma parte; fornecer um, dois ou três versos quando os restantes são extraídos indiscriminadamente de diferentes estrofes, de modo a completar uma estrofe com sentido próprio; ou ordenar as palavras de verso escrito de maneira irregular, separando as vogais das consoantes, ou eliminando-as totalmente; ou colocando em verso ou prosa frases representadas por sinais ou símbolos. Há muitos outros desses exercícios
- Compor poemas
- Conhecimento de dicionários e vocabulários
- Conhecimento das maneiras de modificar e disfarçar a aparência das pessoas
- Conhecimento da arte de modificar a aparência das coisas, como fazer com que o algodão tenha a aparência de seda, com que as coisas rudes e vulgares tenham aparência boa e refinada
- Várias modalidades de jogos
- A arte de ficar com os bens de outros, por meio de *muntras* ou encantamentos
- Habilidade nos esportes juvenis

- Conhecimento das regras da sociedade e de como reverenciar e cumprimentar os outros
- Conhecimento da arte da guerra, das armas, dos exércitos etc.
- Conhecimento da ginástica
- A arte de conhecer o caráter de um homem pelas suas feições
- Conhecimento da métrica e da feitura de versos
- Recreações aritméticas
- Preparo de flores artificiais
- Preparo de figuras e imagens de barro.

A mulher pública, dotada de boa índole, beleza e outras qualidades que a tornem atraente, e também versada nas artes acima, conquista o nome de *Ganika*, ou mulher pública de categoria elevada, e ocupa lugar de honra numa reunião de homens. Além disso, é sempre respeitada pelo rei, louvada pelos homens cultos e sua proteção é disputada por todos – ela se transforma em objeto do respeito geral. Também a filha de um rei, bem como a filha de um ministro, se versadas nas artes acima, podem tornar-se as preferidas de seus maridos, mesmo que estes tenham milhares de outras esposas além delas. Da mesma forma, se a mulher se separar do marido e tiver dificuldades, poderá manter-se facilmente, mesmo em país estranho, pelo conhecimento dessas artes. E o simples conhecimento delas torna a mulher atraente, embora a sua prática só seja possível de acordo com as circunstâncias de cada caso. O homem versado nessas artes, que é loquaz e familiarizado com as artes do galanteio, conquista rapidamente o coração das mulheres, sem precisar conhecê-las por muito tempo.

CAPÍTULO IV

A vida do citadino

O homem que tenha, desse modo, adquirido conhecimentos, que tenha conseguido a sua fortuna através de doação, conquista, aquisição, depósito[1] ou herança de seus antepassados, deverá converter-se em dono de casa e levar a vida de um citadino.[2] Deve ter uma casa na cidade, ou numa grande aldeia, ou nas vizinhanças de outros homens de posição, ou num lugar que seja freqüentado por muita gente. Sua morada deve estar situada perto de um curso d'água e dividida em diferentes aposentos, destinados a fins diversos. Deve ser cercada de um jardim e dispor de dois aposentos, um interno e o outro externo. O primeiro deve ser ocupado pelas mulheres, enquanto o segundo, perfumado com ricas fragrâncias, deve ter uma cama, macia, agradável à vista, coberta com uma colcha branca imaculada, com uma depressão no meio, adornada de grinaldas e ramos de flores,[3] coberta por um dossel, e duas almofadas, uma à cabeceira e a outra nos pés. Terá também uma espécie de divã, a cuja cabeceira será colocado um tamborete com ungüentos perfumados para a noite, bem como flores, potes de colírio e outras substâncias aromáticas, produtos usados para

---

[1] A doação é própria do brâmane, a conquista do xátria, enquanto a aquisição, depósito ou outros meios de conseguir riqueza pertencem ao vaixiá.

[2] Esse termo parece aplicar-se aos habitantes do Indostão em geral, e não apenas ao habitante de uma cidade, tal como a palavra latina *urbanus* se opunha a *rusticus*.

[3] Jardins naturais.

perfumar a boca, e a casca de cidreira. Próximo ao divã no chão, deve haver uma escarradeira, uma caixa de ornamentos e também um alaúde deve pender de um dente de elefante cravado na parede, uma mesa de desenho, um pote com perfumes, alguns livros, algumas grinaldas de amarantos amarelos. Perto do divã e ainda no chão deve haver uma almofada redonda para sentar, um carro de brinquedo, e uma tábua para o jogo de dados; do lado de fora dos aposentos externos deve haver uma gaiola de pássaros,[4] e em lugar à parte para se fiar, entalhar e para distrações semelhantes. No jardim deve haver um balanço giratório e outro comum, e também um caramanchão de trepadeiras coberto de flores, com um banco.

O dono de casa depois de ter levantado pela manhã e cumprido os deveres necessários,[5] deve lavar os dentes, aplicar uma quantidade moderada de ungüentos e perfumes ao corpo, enfeitar-se, colocar colírio nas pálpebras e sob os olhos, colorir os lábios com *alacktaka*,[6] e examinar-se ao espelho. Depois de comer folhas de bétel, com outras coisas que dão perfume à boca, ele se ocupará de seus afazeres habituais. Deve banhar-se diariamente, passar óleo no corpo em dias alternados, aplicar uma substância espumosa[7] de três em três dias, raspar a cabeça (inclusive o rosto) a cada quatro dias e as outras partes do corpo a cada cinco ou dez dias.[8] Tudo isso deve ser sempre feito, e o suor das axilas também deve ser removido. As refeições devem ser tomadas pela manhã, à tarde e à noite, de acordo com Charayana. Depois da primeira refeição, deve ensinar os papagaios e outros pássaros a falar, seguindo-se a briga de galos, codornizes e carneiros. Dedicará um curto tempo a diversões com Pithamardas, Vitas e Vidushakas,[9] fazendo depois a sesta ao meio-dia.[10] Depois

---

[4] Tais como codornas, perdizes, papagaios, estorninhos etc.

[5] As necessidades fisiológicas são satisfeitas pelos hindus logo pela manhã, ao se levantarem.

[6] Substância corante feita de laca.

[7] Em substituição ao sabão, que só foi introduzido a partir do domínio muçulmano.

[8] Dez dias são concedidos quando os cabelos são removidos com pinças.

[9] São personagens geralmente existentes nos dramas hindus, e suas características serão explicadas mais adiante.

[10] A sesta só é permitida no verão, quando as noites são curtas.

disso, o dono da casa, vestido e ornamentado, deve passar a tarde conversando com os amigos. À noite, haverá cantos, depois dos quais ele, em companhia de um amigo, deve esperar em seu aposento, previamente decorado e perfumado, a chegada da mulher a ele ligada, ou pode mandar buscá-la, ou ir pessoalmente. À sua chegada, ele e o amigo devem saudá-la e distraí-la com uma conversação carinhosa e agradável. Assim terminam as ocupações do dia.

Eis o que ele pode fazer ocasionalmente, como diversão ou distração:

* Promover festas[11] em honra das diferentes Divindades
* Reuniões sociais com pessoas de ambos os sexos
* Reuniões para beber
* Piqueniques
* Outras diversões sociais

FESTAS

Em determinados dias auspiciosos, deve ser promovida uma reunião de citadinos no templo de Saraswati.[12] Ali deve ser posto à prova o talento dos cantores e de outros que possam ter chegado recentemente à cidade; no dia seguinte devem ser distribuídas recompensas. Depois disso, podem ser contratados ou mandados embora, dependendo de terem sido ou não do agrado dos presentes. Estes devem agir de acordo, tanto em épocas difíceis como em fases de prosperidade, sendo também seu dever mostrar hospitalidade aos estranhos que participem da reunião. Isso aplica-se a todas as outras festas que se possam realizar em honra dos diferentes deuses, de acordo com as normas existentes.

---

[11] Muito comuns em toda a Índia.

[12] Na *Asiatic Miscellany*, e nas obras de Sir W. Jones, aparece um inspirado hino dedicado a essa deusa, adorada como patrona das belas-artes, especialmente da música e da retórica, como inventora da língua sânscrita etc. É a deusa da harmonia, da eloqüência e da linguagem, o que fazia dela, em certo sentido, uma segunda Minerva. Para maiores informações, ver a obra *Hindoo Pantheon*, de Edward Moor.

REUNIÕES SOCIAIS

Quando homens da mesma idade, inclinação e talentos, amantes das mesmas diversões e com a mesma educação, se reúnem com mulheres públicas,[13] ou numa assembléia de cidadãos ou ainda na residência de um deles, e se dedicam a uma conversação agradável, a isso se chama uma reunião social, ou reunião de convívio. Uma das distrações pode ser a de completar versos compostos até a metade por outros, e as provas sobre conhecimento das várias artes. As mulheres mais belas, que participem dos mesmos gostos dos homens, são então homenageadas.

REUNIÕES PARA BEBER

Os homens e as mulheres deverão beber na casa uns dos outros. Os homens devem então fazer com que as mulheres públicas bebam, assim como eles, licores como o madhu, aireya, sara e asawa, que têm gosto amargo e ácido, e também bebidas feitas da casca de várias árvores, de frutos silvestres e de folhas.

PASSEIOS PELOS JARDINS E PIQUENIQUES

Durante a manhã e depois de se terem vestido, os homens passearão a cavalo pelos jardins, acompanhados de mulheres públicas e seguidos pelos criados. E depois de se haverem entregado ali às ocupações adequadas e passado o tempo em agradáveis diversões tais como as brigas de galos, codornizes e carneiros e outros espetáculos, regressarão a casa pela tarde, trazendo consigo ramos de flores etc.

---

[13] As mulheres públicas ou cortesãs *(Vesya)* dos antigos hindus têm sido freqüentemente comparadas às *heteras* gregas. Esse tema foi tratado em detalhe por H.H. Wilson em *Select Specimens of the Theatre of the Hindoos*, 2 vols., Trubner & Co., 1871. Podemos considerar que a cortesã era um dos elementos, e dos mais importantes, da antiga sociedade hindu e que a sua educação e inteligência eram superiores às das mulheres do lar. "Por *Vesya* ou cortesã", diz Wilzon, "não devemos entender uma mulher que ignorasse as obrigações da lei ou os preceitos da virtude, mas uma personagem resultante de costumes contrários à admissão de mulheres casadas à sociedade, e que só permitia, à custa de sua reputação, àquelas mulheres que se mostravam capazes de conviver com os homens, depois de uma preparação pessoal, estranha à mulher casada.

Do mesmo modo, irão banhar-se no verão em águas das quais foram retirados previamente todos os animais desagradáveis ou nocivos e que foram isoladas de todos os lados.

OUTRAS DIVERSÕES SOCIAIS

Passar a noite jogando dados; passear em noites de luar, comemorar a primavera na data adequada; colher flores e frutos da mangueira; comer fibras de lótus; comer espigas de milho verde; merendar nos bosques quando as árvores se revestem de folhagem nova; entregar-se a brincadeiras aquáticas, ou Udakakashvedika; enfeitarem-se mutuamente com flores de certas árvores; entregarem-se a batalhas de flores da árvore Kadamba e a muitas outras brincadeiras que poderão ser conhecidas em todo o país, ou apenas em determinadas regiões. Os citadinos deverão entregar-se constantemente a estas e a outras diversões semelhantes.

As diversões acima mencionadas deverão ser adotadas pelos que se divertem a sós com uma cortesã, bem como por uma cortesã que as pode praticar em companhia de suas criadas, ou com os citadinos.

O Pithamarda[14] é o homem sem riqueza, sozinho no mundo, cuja única propriedade é a sua Mallika,[15] um pouco de substância espumosa e um pano vermelho, que vem de uma boa região e conhece todas as artes. Ensinando tais artes, ele é recebido na companhia dos citadinos, e na morada das mulheres públicas.

O Vita[16] é o homem que desfrutou os prazeres da fortuna, que é compatriota dos citadinos com os quais se reúne, que é possuidor das qualidades do dono de casa, que tem consigo a sua esposa e é respeitado nas reuniões dos citadinos e nas moradas das mulheres públicas, e vive à custa delas.

---

[14] De acordo com essa descrição, o Pithamarda era uma espécie de professor de todas as artes e como tal recebido como amigo e confidente dos citadinos.

[15] Um banco em forma de T.

[16] O Vita representa um pouco o parasita da comédia grega. É possível que desempenhasse na companhia dos ricos e dissolutos o papel de uma espécie de preceptor e, ao mesmo tempo, de companheiro.

O Vidushaka[17] (também chamado de Vaihasaka, palavra que significa aquele que provoca o riso), é uma pessoa versada apenas em algumas artes, um bufão que merece a confiança geral.

Essas pessoas são usadas como intermediários em brigas e reconciliações entre os citadinos e as mulheres públicas.

Essa observação aplica-se também às mendigas, às mulheres que têm a cabeça raspada, às adúlteras e as mulheres públicas de idade avançada e versadas nas diversas artes.

Assim, o citadino que viva na sua cidade e seja respeitado por todos deverá frequentar a casa das pessoas de sua casta que sejam merecedoras disso. Conviverá e proporcionará prazer aos amigos, com a sua companhia; prestando-lhes auxílio em questões diversas, e com seu exemplo, os levará a se ajudarem mutuamente.

Há sobre esse assunto alguns versículos, que são os seguintes:

"Ganhará grande respeito o citadino que se expressar numa reunião sobre diversos assuntos sem recorrer exclusivamente ao sânscrito ou aos dialetos regionais.[18] O homem prudente não deve frequentar uma sociedade repudiada pela maioria das pessoas, que não é regida por quaisquer princípios e que visa à destruição de outras pessoas. Mas o homem culto que vive numa sociedade que se comporta de acordo com os desejos dessa maioria e que tem como único objetivo o prazer é muito respeitado neste mundo."

---

[17] Vidushaka é evidentemente o bufão e o bobo da corte. Wilson afirma que ele é o companheiro humilde, não o servo, de um príncipe ou homem de posição, e que curiosamente ele é sempre um brâmane. Talvez o personagem que mais se aproxime dele na ficção ocidental seja o de Sancho Panza, que imita a sua combinação de perspicácia e simplicidade, o gosto da boa vida e o amor ao conforto. Nos dramas de intriga, exibe alguns dos talentos de Mercúrio mas com menos ação e engenho e às vezes sofre com sua interferência. Segundo a definição técnica de seus atributos, ele deve provocar o riso graças ao ridículo de sua figura, idade e trajes.

[18] Isso significa, presumivelmente, que o cidadão deve conhecer várias línguas. O meio do parágrafo poderia aplicar-se, talvez, aos niilistas e fenianos da época, ou às sociedades secretas. Ou talvez fosse uma referência aos tugues.

CAPÍTULO V

Das categorias das mulheres a que recorrem os citadinos e dos amigos e intermediários

Quando Kama é praticado pelos homens das quatro castas segundo as regras da Sagrada Escritura (isto é, em matrimônio legal) com virgens de sua própria casta, torna-se um meio de obter prole legítima e boa reputação, e não se opõe aos costumes do mundo. Pelo contrário, a prática de Kama com mulheres de castas superiores e com as mulheres que já foram gozadas por outros, embora da mesma casta, é proibida. Mas a prática de Kama com as mulheres de castas inferiores, mulheres expulsas da própria casta, mulheres públicas e mulheres casadas duas vezes[1] não é estimulada nem proibida. O objetivo da prática de Kama com tais mulheres é apenas o prazer.

As Nayikas,[2] portanto, dividem-se em três gêneros, a saber, as donzelas, as mulheres casadas duas vezes e as mulheres públicas. Gonikaputra é de opinião

---

[1] Esse termo não se aplica a uma viúva, mas à mulher que provavelmente deixou o marido e vive maritalmente com outro.

[2] Qualquer mulher que possa ser possuída sem pecado. O objetivo do gozo das mulheres é duplo, ou seja, o prazer e a procriação. Qualquer mulher que possa ser possuída sem pecado para a realização de um desses dois objetivos é uma Nayika. O quarto gênero de Nayika que Vatsya descreve mais adiante não é desfrutada nem por prazer, nem para a procriação, mas apenas para a realização de alguma finalidade especial e imediata. A palavra Nayika é mantida no texto como um termo técnico.

que há um quarto gênero de Nayika, ou seja, a mulher a que se recorre em ocasião especial, embora fosse casada anteriormente com outro. Essas ocasiões especiais ocorrem quando o homem pensa o seguinte:

Essa mulher é voluntariosa e foi desfrutada antes por outros que não eu. Posso, portanto, recorrer a ela com segurança, como se fosse uma mulher pública, embora pertença a casta superior à minha, e ao fazer isso não estarei violando os mandamentos de Dharma.

Ou então:
É uma mulher casada duas vezes e que foi desfrutada por outros antes de mim; não há, portanto, objeções a que eu recorra a ela.

Ou então:
Essa mulher conquistou o coração de seu marido, grande e poderoso, e o dominou, sendo ele amigo de meu inimigo; se, portanto, ela se unir a mim, fará com que o marido abandone o seu inimigo.

Ou então:
Essa mulher pode influenciar o marido, que é muito poderoso, em meu favor, estando ele no momento descontente comigo, ou com más intenções a meu respeito.

Ou então:
Tornando-me amigo dessa mulher, realizarei o objetivo de algum amigo meu, ou provocarei a ruína de algum inimigo, ou realizarei algum outro objetivo difícil.

Ou então:
Unindo-me a essa mulher, matarei seu marido e com isso ficarei com suas grandes riquezas que ambiciono.

Ou então:
A união com essa mulher não encerra qualquer perigo e me proporcionará

riquezas, das quais muito necessito em virtude da minha pobreza e da incapacidade de manter-me. Dessa maneira conseguirei suas grandes riquezas sem qualquer dificuldade.

Ou então:
Essa mulher me ama ardentemente e conhece todos os meus pontos fracos; se, portanto, eu não me quiser unir a ela, tornará públicas as minhas faltas e com isso manchará meu caráter e minha reputação. Ou me fará alguma acusação grave, da qual talvez seja difícil livrar-me, e com isso serei arruinado. Ou talvez ela me indisponha com o marido, que é poderoso e está sob seu controle, ou o aproximará de meu inimigo, ou ela própria se unirá a esse inimigo.

Ou então:
O marido dessa mulher violou a castidade de minhas mulheres e portanto retribuirei a injúria seduzindo as dele.

Ou então:
Com a ajuda dessa mulher matarei um inimigo do rei que procurou asilo junto a mim, e a quem o rei mandou que eu matasse.

Ou então:
A mulher a quem amo está sob a influência dessa mulher. Procurarei, por intermédio desta, chegar até àquela a quem amo.

Ou então:
Essa mulher me levará a uma donzela que possui riquezas, beleza, mas que é inacessível e está sob o controle de outras pessoas.

Ou, finalmente, assim:
Meu inimigo é amigo do marido dessa mulher e, portanto, eu farei com que ela se una a ele, provocando com isso a inimizade entre ambos.

Por essas razões, e por outras semelhantes, pode-se recorrer às mulheres de outros homens, mas deve-se compreender claramente que isso só é possível por motivos especiais e não pelo simples desejo carnal.

Charayana acha que nessas circunstâncias há também um quinto gênero de Nayika, ou seja, a mulher que é mantida por um ministro, ou que ocasionalmente com ele se relaciona; ou a viúva que pode ajudar na realização dos propósitos de um homem junto à pessoa com quem se une.

Suvarnanabha acrescenta que a mulher que leva vida ascética, sendo viúva, pode ser considerada como um sexto gênero de Nayika.

Ghotakamuka diz que a filha de uma mulher pública e a criada, que ainda sejam virgens, constituem uma sétima categoria de Nayika.

Gonardiya defende a doutrina de que qualquer mulher de boa família, depois de ter chegado à idade adulta, é um oitavo tipo de Nayika.

Esses quatro últimos gêneros de Nayika não diferem muito dos quatro primeiros, pois não há um objetivo diferente na união com elas. Vatsyayana é, portanto, de opinião que há apenas quatro tipos de Nayikas, ou seja, a donzela, a mulher casada duas vezes, a mulher pública e a mulher a quem se recorre com um objetivo especial.

As seguintes mulheres não devem ser desfrutadas:

- A leprosa
- A lunática
- A expulsa da sua casta
- A que revela segredos
- A que expressa publicamente o desejo de relações sexuais
- A muito branca
- A muito preta
- A que cheira mal
- A que é parente próxima
- A que é amiga

- A que leva vida de ascetismo
- A esposa de um conhecido, de um amigo, de um brâmane culto, e do rei.

Os seguidores de Babhravya dizem que qualquer mulher que tenha sido desfrutada por cinco homens é pessoa adequada a ser desfrutada. Mas Gonikaputra acha que, mesmo quando isso acontece, as esposas de um conhecido, de um brâmane culto e do rei devem constituir exceção.

São os seguintes os gêneros de amigos:

- Aquele com quem se brincou na infância
- Aquele a quem se está ligado por um favor
- O que tem as mesmas inclinações e gosta das mesmas coisas
- O que é companheiro de estudos
- O que conhece nossos segredos e faltas, e cujos segredos e faltas também conhecemos
- O filho das amas
- Aquele que é criado junto conosco
- O amigo hereditário

Tais amigos devem possuir as seguintes qualidades:

- Dizer a verdade
- Não se modificarem com o tempo
- Serem favoráveis aos nossos objetivos
- Serem constantes
- Serem livres de cobiça
- Não serem influenciáveis
- Discretos

Charayana diz que os homens estabelecem amizade firme com os lavradores, os barbeiros, vaqueiros, floristas, farmacêuticos, vendedores de folhas de bétel, taverneiros, mendigos, Pithamardas, Vitas e Vidushakas, e também com as mulheres dessas pessoas.

O intermediário deve possuir as seguintes qualidades:

• Habilidade
• Ousadia
• Conhecimento das intenções dos homens pela sua aparência externa
• Ausência de confusão, isto é, não deve ser tímido
• Conhecimento exato daquilo que os outros dizem ou fazem
• Boas maneiras
• Conhecimento dos momentos e locais adequados à realização de diferentes coisas
• Tino comercial
• Compreensão rápida
• Aplicação rápida de remédios, isto é, recursos rápidos e fáceis.

Esta parte termina com o seguinte versículo:

"O homem inventivo e prudente, acompanhado de um amigo e conhecedor das intenções alheias, bem como do momento e local convenientes para cada fim, pode facilmente ser bem-sucedido mesmo junto de uma mulher muito difícil de conquistar."

PARTE II

DA UNIÃO SEXUAL

CAPÍTULO I

Tipos de união sexual segundo as dimensões, força do desejo ou paixão e o tempo

TIPOS DE UNIÃO

Os homens dividem-se em três classes, ou seja, o homem lebre, o homem touro e o homem cavalo – segundo o tamanho de seu *linga*.

Também as mulheres, dependendo da profundidade do seu iôni, são corça, égua e elefanta.

Há, portanto, três uniões iguais entre pessoas de dimensões correspondentes, e há seis uniões desiguais, quando as dimensões não correspondem, ou nove ao todo, como o quadro seguinte mostra:

IGUAIS		DESIGUAIS	
HOMENS	MULHERES	HOMENS	MULHERES
Lebre	Corça	Lebre	Égua
Touro	Égua	Lebre	Elefanta
Cavalo	Elefanta	Touro	Corça
		Touro	Elefanta
		Cavalo	Corça
		Cavalo	Égua

Nessas uniões desiguais, quando o macho excede a fêmea em tamanho, sua união com uma mulher imediatamente seguinte em tamanho é chamada união alta, sendo de dois tipos; e a sua união com a mulher mais distante do seu tamanho é chamada de união superior, sendo apenas de um tipo. Por outro lado, quando a fêmea excede o macho em tamanho, sua união com um homem imediatamente seguinte em tamanho é chamada de união baixa, sendo de dois tipos; ao passo que a sua união com o homem mais distante dela em tamanho é chamada de união inferior, sendo apenas de um tipo.

Em outras palavras, o cavalo e a égua, o touro e a corça, formam uma união alta, enquanto o cavalo e a corça formam a união superior. No que se relaciona com a mulher, a elefanta e o touro, a égua e a lebre, formam uniões baixas, enquanto a elefanta e a lebre constituem a união inferior.

Há, portanto, nove tipos de união segundo as dimensões. Entre todas elas, as uniões iguais são as melhores; as piores são as de grau superlativo, ou seja, as uniões superiores e inferiores; as restantes são medianas. Destas, as altas[1] são melhores do que as baixas.

Há também nove uniões segundo a força da paixão ou do desejo carnal, e são as seguintes:

IGUAIS		DESIGUAIS	
HOMENS	MULHERES	HOMENS	MULHERES
Pequenos	Pequenas	Pequenos	Medianas
Medianos	Medianas	Pequenos	Intensas
Intensos	Intensas	Medianos	Pequenas
		Medianos	Intensas
		Intensos	Pequenas
		Intensos	Medianas

---

[1] As uniões altas são consideradas melhores do que as baixas porque nelas é possível ao homem satisfazer sua paixão sem causar mal à mulher, ao passo que na segunda a satisfação da mulher é difícil.

Diz-se que o homem é de pequena paixão quando o seu desejo no momento da união sexual não é ardente, o seu esperma é pouco abundante e não suporta os apaixonados abraços da mulher.

Aos de temperamento mais cálido dá-se o nome de homem de paixão mediana, ao passo que os dotados de grande ardor recebem o nome de homens de paixão intensa.

Do mesmo modo, considera-se que as mulheres têm os mesmos três graus de paixão acima descritos.

Finalmente, segundo o tempo consumido na união há três tipos de homens e de mulheres: os que precisam de pouco tempo, os que consomem um tempo moderado e os que prolongam a união por muito tempo. Entre esses tipos, como ocorreu nos exemplos anteriores, há três gêneros de união.

Há, porém, em relação ao fator tempo diferenças de opinião quanto à mulher, e que serão mencionadas:

Auddalika diz: "As mulheres não ejaculam como os homens. Estes simplesmente satisfazem o seu desejo, enquanto as mulheres, por causa da sua consciência do desejo, experimentam um certo tipo de prazer que lhes dá satisfação, mas que nos é impossível descrever. Disso se evidencia que os homens, quando praticam o coito, esgotam-se com a ejaculação e ficam satisfeitos, mas isso não ocorre com as mulheres."

A essa opinião, porém, fazem-se objeções sob a alegação de que, se o homem demora muito tempo na união, a mulher sente aumentar sua paixão por ele; mas, se demorar pouco tempo, ela ficará descontente. E isso, na opinião de alguns autores, prova que as mulheres também ejaculam.

Tal opinião, no entanto, não é válida, pois, se é necessário um longo tempo para satisfazer o desejo de uma mulher, e durante esse tempo ela experimenta grande prazer, é natural que deseje a sua continuação. E sobre tal assunto existe o seguinte versículo:

"Pela união com os homens as mulheres satisfazem sua luxúria, desejo ou paixão, e o prazer obtido da consciência do desejo é que se chama a sua satisfação."

Os seguidores de Babhravya, porém, dizem que o sêmen da mulher flui desde o início até o fim da união sexual, e que assim deve ser porque, se não tivessem sêmen, não haveria embrião.

A esta opinião oferece-se a seguinte objeção: no princípio do coito a paixão da mulher é mediana e ela suporta mal as vigorosas arremetidas de seu amante, mas sua paixão aumenta aos poucos até que ela deixe de pensar em seu corpo e, por fim, sinta desejo de suspender o coito.

Tal objeção é insustentável pois, tal como acontece mesmo com certos objetos comuns que giram com grande rapidez, como a roda do oleiro ou o pião, verificamos que o movimento começa lentamente e vai aumentando gradualmente de velocidade até se tornar rapidíssimo. Do mesmo modo, depois que a sua paixão aumenta gradualmente, a mulher sente desejo de pôr fim ao coito quando seu sêmen acabou de fluir. Citamos agora o seguinte versículo sobre o assunto:

"A emissão de esperma pelo homem só ocorre no final do coito, ao passo que o sêmen da mulher flui continuamente; quando o sêmen de ambos tiver fluído totalmente, sentem ambos o desejo de suspender as relações."[2]

Finalmente, Vatsyayana é de opinião que o sêmen da mulher flui da mesma forma que o do homem.

A esta altura, poderia ser levantada a seguinte objeção: se o homem e a mulher são seres da mesma espécie e se estão empenhados em conseguir os mesmos resultados, por que devem ter funções diferentes a cumprir?

Vatsya diz que assim é porque tanto o comportamento quanto as sensações de prazer são diferentes no homem e na mulher. As diferenças de comportamento –

---

[2] A intensidade da paixão varia muito de mulher para mulher, e se algumas se satisfazem facilmente, outras há para as quais isso é difícil e exige mais tempo. Com estas, o homem tem de recorrer à arte. É certo que o suco vaginal escorre da mulher em maior ou menor quantidade, mas ela só atinge a plena satisfação quando experimenta o *spasme génétique* tal como descrito num trabalho em francês publicado recentemente sob o título *Bréviaire de l'Amour Experimental par le Dr. Jules Guyot.*

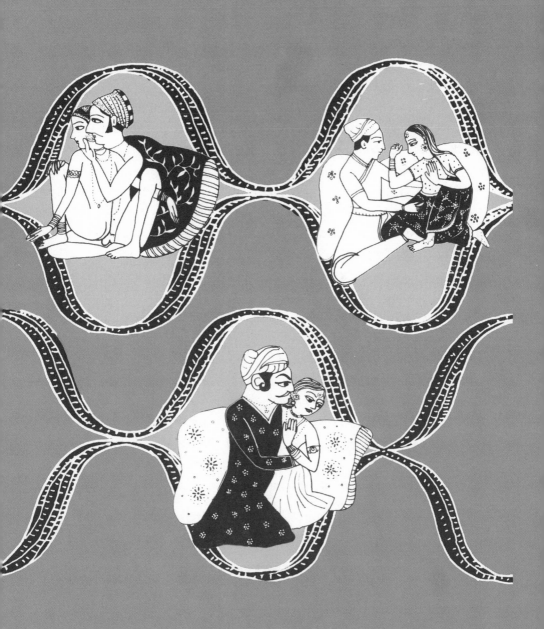

pelas quais o homem é o ser ativo enquanto a mulher é o ser passivo – decorrem da natureza masculina e feminina; se assim não fosse, os papéis poderiam inverter-se. Dessa diferença de comportamento resulta a diferença na sensação do prazer, já que o homem pensa: "Esta mulher está unida a mim", ao passo que a mulher pensa: "Estou unida a este homem."

Poderia-se dizer ainda que, se o comportamento do homem e da mulher é diferente, por que não haveria diferença até no prazer que experimentam e que resulta desse comportamento?

Essa objeção, porém, não tem fundamento, pois, sendo a pessoa ativa e a pessoa passiva diferentes, há uma razão para as suas diferenças de comportamento; não há, porém, razão para qualquer diferença nas sensações de prazer que experimentam, porque ambos obtêm naturalmente seu prazer do ato que realizam.[3]

Ainda sobre essa questão, poderia-se dizer também que, quando pessoas diferentes realizam a mesma coisa, atingem a mesma finalidade ou propósito; ao passo que, ao contrário, no caso dos homens e mulheres vemos que cada um deles realiza seu fim separadamente, e isso é uma incoerência. Tal observação, porém, é errônea, pois vemos que duas coisas podem ser feitas ao mesmo tempo, como por exemplo na luta de carneiros, quando ambos recebem ao mesmo tempo o choque sobre suas cabeças. E também quando se lança uma bola de madeira contra outra, e também no combate entre lutadores. Se for dito que nesses casos os elementos em causa são da mesma espécie, responderemos que, em relação aos homens e mulheres, a natureza de ambos é idêntica. E como as diferenças no seu comportamento resultam apenas das diferenças na sua conformação,

---

[3] Trata-se de uma longa controvérsia muito comum entre os autores sanscríticos, tanto nas obras quanto nas suas conversações. Apresentam-se determinadas proposições, às quais se responde com argumentos a favor ou contra. O que o autor quer provavelmente dizer é que, embora o homem e a mulher desfrutem prazer no coito, esse prazer resulta de meios diferentes, já que cada um deles executa o ato independentemente do outro e que cada qual obtém individualmente a sua consciência do prazer. Há portanto uma diferença no ato realizado por eles individualmente, e uma diferença na consciência do prazer que cada um experimenta, mas nenhuma diferença no prazer em si, que é sempre o mesmo, variando apenas na intensidade com que cada um dos parceiros o sente.

segue-se que os homens experimentam o mesmo tipo de prazer que as mulheres.

Há também sobre isso o seguinte versículo:

"Tendo a mesma natureza, homens e mulheres experimentam o mesmo prazer e, portanto, o homem deve desposar aquela mulher que o ame para sempre."

Provado que o prazer do homem e o da mulher são do mesmo tipo, segue-se que, em relação ao tempo consumido no ato existem nove categorias de relação sexual, tal como há nove tipos, segundo a força da paixão.

Havendo nove categorias de uniões segundo as dimensões, a força da paixão e o tempo, respectivamente, a combinação delas pode produzir tipos inumeráveis de uniões. Assim sendo, em cada tipo de união sexual os homens devem usar os meios que lhes parecem adequados à ocasião.[4]

Da primeira vez que se realiza a união sexual, a paixão do homem é intensa e em pouco tempo ele termina; em uniões subseqüentes, porém, no mesmo dia, pode ocorrer o inverso. Com a mulher, ocorre o contrário, pois da primeira vez sua paixão tem pouca intensidade e ela precisa de longo tempo; em ocasiões subseqüentes no mesmo dia, no entanto, sua paixão é intensa e o tempo necessário à sua consumação é reduzido.

DOS DIFERENTES TIPOS DE AMOR

Os homens versados nas humanidades são de opinião que há quatro tipos de amor:

• O provocado pelo hábito continuado
• O resultante da imaginação

---

[4] Este parágrafo deve merecer atenção especial, pois aplica-se sobretudo aos homens casados e suas mulheres. Muitos homens ignoram totalmente os sentimentos das mulheres e jamais se preocupam com a sua paixão. Para compreender bem o assunto, é absolutamente necessário estudá-lo, quando então se perceberá que, assim como o bolo é preparado para ser assado, também a mulher deve ser preparada para a relação sexual, para que tenha prazer nela.

- O que surge em conseqüência da fé
- O que resulta da percepção dos objetos externos

O amor provocado pelo desempenho constante e prolongado de um hábito é chamado de amor adquirido pela prática e hábito constantes, como por exemplo o amor da relação sexual, o amor da caça, o amor da bebida, o amor do jogo etc.

O amor experimentado pelas coisas às quais não estamos habituados e que vem totalmente das idéias é chamado o amor da imaginação, como por exemplo o amor que certos homens, mulheres e eunucos experimentam pelo Auparishtaka ou congresso oral, e o amor sentido pelos abraços, beijos etc.

O amor mútuo, quando verdadeiro, quando cada um dos amantes sente que o outro lhe pertence, é denominado amor resultante da confiança pelo homem culto.

O amor que vem da percepção dos objetos externos é bastante evidente e bem conhecido, pois o prazer que proporciona é superior ao provocado por outros tipos de amor, que só existem em função de si mesmos.

O que foi dito neste capítulo sobre a união sexual é suficiente para o homem culto; mas para a edificação do ignorante, o tema será agora tratado detalhadamente.

CAPÍTULO II

Do abraço

Esta parte do Kama Shastra que trata da união sexual é também chamada de "Sessenta e quatro" (Chatushshashti). Autores antigos dizem ter sido esse nome adotado por ela possuir 64 capítulos. Outros acham que sendo Panchala o nome do autor dessa parte, e tendo esse mesmo nome a pessoa que recitava a parte do *Rig Veda* intitulada Dashatapa, que tem 64 versículos, o nome de "Sessenta e quatro" foi uma homenagem aos *Rig Vedas*. Os seguidores de Babhravya por sua vez afirmam que esta parte tem oito temas, a saber, o abraço, o beijo, os arranhões com as unhas ou dedos, a mordida, as posições no leito, os diferentes sons, a inversão dos papéis e o Auparishtaka, ou congresso oral. Sendo cada um desses temas de oito tipos, e sendo 64 o resultado da multiplicação de oito por oito, essa parte recebe portanto o nome de "Sessenta e quatro". Vatsyayana, porém, afirma que, como esta parte contém também os seguintes assuntos – os golpes, os gritos, os atos do homem durante o congresso sexual, os vários tipos de congresso e outros assuntos – o nome de "Sessenta e quatro" lhe foi dado por acaso. É o que acontece, por exemplo, quando chamamos uma determinada árvore de "Saptaparna", ou das sete folhas; ou à oferenda de arroz "Panchavarna", ou de cinco cores, embora a árvore não tenha sete folhas, nem tenha cinco cores o arroz.

Como quer que seja, é da parte conhecida como "Sessenta e quatro" que nos ocupamos agora, e sendo o abraço o seu primeiro tema, é dele que passamos a tratar.

O abraço, manifestação do amor mútuo do homem e da mulher que se uniram, é de três categorias:

- De contato
- Penetrante
- De atrito
- Opressivo

A ação é, em cada caso, indicada pelo significado da palavra que a representa. Quando, sob qualquer pretexto, o homem se aproxima da mulher, de frente ou de lado, e lhe toca o corpo com o seu próprio corpo, esse ato tem o nome de "abraço de contato".

Quando a mulher, em local solitário, se inclina para apanhar alguma coisa e por assim dizer espeta com seus seios o homem que está sentado, o qual por sua vez deles se apodera, a isso dá-se o nome de "abraço espetante".

Esses dois tipos de abraços só ocorrem entre pessoas que ainda não se falam livremente.

Quando dois amantes andam lentamente juntos, seja no escuro ou num lugar público, ou num lugar solitário, e seus corpos se esfregam um no outro, tal ato tem o nome de "abraço de atrito".

Quando, na ocasião acima, um deles pressiona vigorosamente contra uma parede ou pilastra o corpo do outro, está praticando o "abraço opressivo".

Estes dois últimos abraços são peculiares aos que se conhecem mutuamente as intenções.

No momento do encontro, os três tipos seguintes de abraço são usados:

- Jataveshtitaka, ou o entrelaçamento da trepadeira
- Vrikshadhirudhaka, ou a subida da árvore
- Tila-Tandulaka, ou a mistura de semente de sésamo com arroz
- Kshiraniraka, ou o abraço do leite e da água

Quando a mulher, agarrando-se a um homem da maneira pela qual a trepadeira se enrosca numa árvore, puxa na direção da sua a cabeça dele para beijá-lo, emitindo um leve *sut sut*, abraça-o e o contempla amorosamente, está praticando o abraço chamado "entrelaçamento de trepadeira".

Quando a mulher, tendo colocado um pé sobre o pé do amante e o outro sobre uma de suas coxas, passa um dos braços pelas suas costas e o outro pelos seus ombros, canta baixinho e emite ruídos suaves, fazendo menção de subir por ele para beijá-lo, temos o abraço que se chama "subida da árvore".

Esses dois tipos de abraços ocorrem quando o amante está de pé.

Quando os amantes estão na cama e se abraçam tão fortemente que seus braços e pernas se entrelaçam com os braços e pernas do outro, e se esfregam, temos o abraço chamado "mistura da semente de sésamo com arroz".

Quando o homem e a mulher se amam muito e, sem pensar na dor ou sofrimento, abraçam-se como se estivessem penetrando nos respectivos corpos, seja com a mulher sentada ao colo do homem ou à frente dele, ou na cama, é o abraço chamado "mistura de leite e água".

Esses dois tipos de abraços só ocorrem no momento da união sexual.

Babhravya assim descreveu os oito tipos de abraços relacionados acima.

Suvarnanabha fala-nos ainda de quatro maneiras de abraçar membros isolados do corpo, e que são:

- O abraço das coxas
- O abraço do jaghana, isto é, a parte do corpo que vai do umbigo até as coxas
- O abraço dos seios
- O abraço da testa

Quando um dos dois amantes pressiona vigorosamente uma ou ambas as coxas do outro entre suas próprias coxas, é o "abraço das coxas".

Quando o homem aperta o jaghana, ou a parte média do corpo da mulher, contra o seu próprio corpo, e nela monta seja para arranhar com as unhas ou os dedos, ou morder, ou bater, ou beijar, estando os cabelos da mulher soltos e espalhados, a isso se dá o nome de "abraço do jaghana".

Quando o homem coloca seu peito entre os seios da mulher e a aperta contra si, temos o "abraço dos seios".

Quando qualquer um dos amantes toca a boca, os olhos e a testa do outro com os seus, pratica o "abraço da testa". .

Há quem diga que a massagem é um tipo de abraço porque nela também os corpos se tocam. Mas Vatsyayana acha que a massagem é feita em ocasião diferente e com outra finalidade, sendo também de caráter diferente, e não pode ser incluída entre os abraços.

Há também alguns versículos sobre o assunto e que são os seguintes:

"Toda a questão do abraço é de tal natureza que os homens que sobre ele fazem perguntas, ou que ouvem falar dele, ou dele falam, passam a querer experimentá-lo. Mesmo os abraços não mencionados no Kama Shastra devem ser praticados no momento do deleite sexual, se contribuírem de algum modo para aumentar o amor ou a paixão. As regras do Shastra aplicam-se enquanto a paixão do homem é mediana, mas, quando a roda do amor volta a girar, não há então nenhum Shastra nem ordem alguma."

CAPÍTULO III

Do beijo

Há quem afirme não haver ordem nem ocasião fixas para o abraço, o beijo, o apertão ou o arranhão com unhas e dedos, e sim que tais coisas devem ser praticadas em geral antes da união sexual, ao passo que as pancadas e os diferentes sons ocorrem quase sempre durante a união. Vatsyayana, porém, acha que qualquer coisa pode ser feita a qualquer momento, pois o amor não dá importância ao momento nem à ordem das carícias.

Por ocasião do primeiro congresso, os beijos e as outras carícias mencionadas acima devem ser praticados com moderação, sem se prolongar por muito tempo, e alternadamente. Em ocasiões subseqüentes, porém, o inverso pode ocorrer, e a moderação não será necessária; as carícias podem continuar por muito tempo e, com o objetivo de reacender a chama, podem ser feitas todas ao mesmo tempo.

Eis os lugares adequados ao beijo: a testa, os olhos, as faces, o pescoço, o peito, os seios, os lábios e o interior da boca. Além disso, o povo do país de Lat também beija os lugares seguintes: as juntas das coxas, os braços e o umbigo. Vatsyayana acha que, embora o beijo seja praticado por esse povo em tais lugares, por causa da intensidade com que amam e dos costumes de seu país, nem todos o devem imitar.

No caso de uma moça ainda jovem, são três os beijos possíveis:

- O beijo nominal
- O beijo palpitante
- O beijo de toque

Quando a moça apenas toca a boca de seu amante com os lábios, sem nada mais fazer, pratica o beijo nominal.

Quando a moça, deixando de lado a vergonha, quer tocar os lábios que lhe pressionam a boca e para isso movimenta o lábio inferior, mas não o superior, temos o beijo palpitante.

Quando a moça toca os lábios do amante com a língua e, tendo fechado os olhos, coloca suas mãos nas do amante, pratica o beijo chamado "de toque".

Autores há que descrevem quatro tipos de beijo além desses:

- O beijo direto
- O beijo inclinado
- O beijo voltado
- O beijo pressionado

Quando os lábios dos dois amantes entram em contato direto, temos o beijo direto.

Quando as cabeças dos dois amantes estão inclinadas uma para a outra, e quando nessa posição eles se beijam, praticam o beijo inclinado.

Quando um deles volta o rosto para o outro segurando-lhe a cabeça e o queixo, e então se beijam, temos o beijo voltado.

Finalmente, quando o lábio inferior é pressionado com muita força, ocorre o beijo pressionado.

Há ainda um quinto tipo de beijo, chamado "muito pressionado", no qual o lábio inferior é agarrado entre dois dedos e, em seguida e depois de tocá-lo com a boca, um dos amantes o pressiona fortemente com o lábio.

Em matéria de beijos, pode-se ainda fazer uma aposta sobre qual dos amantes se apossará dos lábios do outro primeiro. Se a mulher perder, deve fingir que chora, fingir que afasta o amante agitando as mãos, afastando-se dele, discutindo e dizendo "façamos nova aposta". Se perder da segunda vez, deve fingir um aborrecimento profundo e, quando o lábio inferior do amante estiver descoberto, ou ele estiver adormecido, deve apoderar-se de seu lábio inferior e segurá-lo entre os dentes para que não se solte. Poderá rir então, fazer barulho, zombar dele, dançar e dizer o que quiser à guisa de brincadeira, piscando e revirando os olhos. São essas as apostas e disputas no que se relaciona com os beijos, e que também se podem aplicar aos beliscões ou arranhões com unhas e dedos, mordidas e pancadas. Tudo isso, porém, só é adequado aos homens e mulheres tomados de grande paixão.

Quando o homem beija o lábio superior da mulher, e ela em retribuição beija-lhe o lábio inferior, temos o beijo do lábio superior.

Quando um dos amantes toma ambos os lábios do outro entre os seus, temos o beijo agarrado. Mas a mulher só recebe esse beijo do homem sem bigodes. Nesse momento, se um dos amantes tocar os dentes, a língua ou o céu da boca do outro, com a língua, o beijo passa a ser chamado "luta de línguas". Da mesma forma, a pressão dos dentes de um contra a boca do outro amante pode ser praticada.

Há quatro espécies de beijos: o moderado, o contraído, o pressionado e o leve, dependendo das diferentes partes do corpo que são beijadas, pois cada um deles é adequado a uma área do corpo.

Quando a mulher contempla o rosto do amante adormecido e o beija para mostrar suas intenções ou seu desejo, esse beijo é chamado de "beijo que acende o amor".

Quando a mulher beija o amante que está trabalhando, ou quando está brigando com ela, ou quando está olhando para outra pessoa, estando portanto desatento, esse beijo é chamado de "beijo que distrai".

Quando, ao chegar a casa tarde da noite, o amante beija a amada adormecida na cama para mostrar-lhe seu desejo, está praticando o "beijo que desperta". Nessa ocasião a mulher pode fingir que dorme no momento da chegada do amante, a fim de conhecer-lhe a intenção e conquistar seu respeito.

Quando o amante beija o reflexo da pessoa amada num espelho, na água ou na parede, pratica "o beijo revelador de intenção".

Quando se beija uma criança no colo, ou um retrato, uma imagem ou uma figura na presença da pessoa amada, temos o "beijo transferido".

Quando à noite num teatro ou numa reunião de homens de casta, um homem, ao aproximar-se de uma mulher, beija-lhe a ponta dos dedos se ela está de pé, ou o dedo do pé se estiver sentada, ou quando a mulher ao massagear o amante coloca o rosto entre suas coxas (como se tivesse sono) de modo a despertar sua paixão e beija-lhe as coxas ou o dedo grande do pé, esse é o "beijo demonstrativo".

Há também sobre esse assunto o seguinte versículo:

"Não importa o que um amante faça ao outro, esse mesmo gesto lhe deve ser devolvido, isto é, se a mulher beija o homem ele por sua vez deve beijá-la; se ela bater nele, o amante deverá também golpeá-la."

CAPÍTULO IV

Dos beliscões, das incisões
ou arranhões com as unhas

Quando o amor se torna intenso, os beliscões com a ajuda das unhas, ou os arranhões do corpo, são praticados nas seguintes ocasiões: na primeira visita; no momento de partir para uma viagem; de volta de uma viagem; no momento da reconciliação com um amante aborrecido; e, finalmente, quando a mulher está embriagada.

Beliscar usando as unhas, porém, só é comum entre os que estão intensamente apaixonados, ou seja, tomados de paixão. É usado, juntamente com a mordida, pelos que encontram prazer nessas práticas.

Os beliscões de que participam as unhas são de oito tipos, segundo as marcas que deixam:

• Sondagem
• Meia-lua
• Círculo
• Linha
• A unha ou garra de tigre
• A pata do pavão
• O salto da lebre
• A folha do lótus azul

Os lugares do corpo que devem ser beliscados com as unhas são os seguintes: axilas, garganta, seios, lábios, o jaghana ou parte média do corpo, e as coxas. Mas Suvarnanabha acha que, quando a impetuosidade da paixão é excessiva, não há consideração de lugar.

As boas unhas deverão ser brilhantes, bem colocadas, limpas, inteiras, convexas, suaves e polidas. Segundo seu tamanho, podem dividir-se em três tipos:

• Pequenas
• Médias
• Grandes

As unhas grandes, que conferem graça às mãos e que, pela sua aparência, cativam o coração das mulheres, são comuns entre os bengaleses.

As unhas pequenas, que podem ser usadas de várias maneiras e aplicadas só com o objetivo de proporcionar prazer, são comuns entre as pessoas dos distritos do Sul.

As unhas médias, que têm as propriedades dos dois outros tipos, pertencem ao povo do Maharashtra.

Quando o amante aperta o queixo, os seios, o lábio inferior ou o jaghana de maneira tão suave que não deixa qualquer arranhão ou marca, provocando apenas o eriçamento dos pêlos de seu corpo graças ao toque das unhas, e as próprias unhas fazem um barulho, a isso se dá o nome de "fazer soar ou pressionar com as unhas".

Essa pressão é usada no caso da moça, quando o amante a massageia, coça-lhe a cabeça e deseja perturbá-la ou atemorizá-la.

A marca curva com as unhas, feita nos seios ou no pescoço, é chamada "meia-lua".

Quando as meias-luas são feitas uma em frente à outra, temos um "círculo". Essa marca de unha é feita geralmente no umbigo, nas pequenas cavidades sob as nádegas e nas juntas das coxas.

A marca na forma de uma pequena linha, e que pode ser deixada em qualquer parte do corpo, tem o nome de "linha".

Essa mesma linha, se curva e feita sobre os seios, é chamada de "unha de tigre".

Quando uma curva é feita no seio com as cinco unhas, é chamada de "pata de pavão". Tal marca é feita com o objetivo de ser elogiada, pois exige grande habilidade.

Quando se fazem cinco marcas com as unhas próximas umas das outras e junto ao bico do seio, o nome que têm é "salto da lebre".

A marca no seio, ou nos quadris, na forma de uma folha do lótus azul é chamada de "folha do lótus azul".

Quando, ao partir em viagem, o amante faz uma marca nas coxas ou nos seios, ela é chamada de "sinal de lembrança". Nessa ocasião, três ou quatro linhas são riscadas umas próximas das outras, com as unhas.

Aqui terminam as marcas de unhas. Marcas de outros tipos que não os mencionados acima podem ser feitas com as unhas, pois os autores antigos dizem que, como há numerosos graus de habilidade entre os homens (sendo conhecida de todos a prática dessa arte), também há numerosas maneiras de fazer tais marcas. E como os beliscões e arranhões não dependem do amor, ninguém pode dizer com certeza quantos tipos diferentes de marcas realmente existem. A razão disso, diz Vatsyayana, é que a variedade é necessária no amor, a fim de que o amor seja provocado pela variedade. É por isso que as cortesãs, que conhecem bem os vários modos e meios do amor, parecem tão desejáveis, pois se a variedade é buscada em todas as artes e diversões, como o arco e outras, muito mais o será no caso presente.

As marcas de unhas não devem ser feitas em mulheres casadas, mas determinados arranhões podem ser feitos em suas partes mais íntimas, a fim de provocar a recordação e intensificar o amor.

Há também alguns versículos sobre o assunto e que são os seguintes:

"O amor da mulher que vê as marcas de unhas nas partes íntimas de seu corpo, embora sejam antigas e quase invisíveis, reacende-se e renova-se. Se não houver marcas de unhas para lembrar os momentos de amor, então a paixão diminui, tal como acontece quando não há união por um longo período."

Mesmo quando um estranho vê a distância uma jovem com marcas de unhas nos seios,[1] é tomado de amor e respeito por ela.

E também o homem que leva as marcas de unhas e dentes em certas partes de seu corpo, impressiona as mulheres, por mais difíceis que sejam. Em suma, nada tende a aumentar tanto o amor quanto os efeitos das marcas de unhas e de mordidas.

---

[1] Parece, segundo essa observação, que em tempos remotos os seios das mulheres não eram cobertos, o que também se vê nos quadros de Ajunta e outras grutas, onde se pode constatar que até mesmo os seios das princesas reais, e de outras, estão nus.

CAPÍTULO V

Da mordida e dos meios a serem empregados
com mulheres de diferentes países

Todas as partes do corpo que podem ser beijadas podem ser mordidas, com exceção do lábio superior, o interior da boca e os olhos.

As qualidades dos bons dentes são as seguintes: devem ser iguais, ter um brilho agradável, passíveis de serem coloridos, de proporções adequadas, ininterruptos e com pontas afiadas.

Por outro lado, os defeitos dos dentes consistem em serem embotados, descarnados, ásperos, moles, grandes e espaçados.

São as seguintes as diferentes formas de mordidas:

- A mordida oculta
- A mordida inchada
- O ponto
- A linha de pontos
- O coral e a jóia
- A linha de jóias
- A nuvem quebrada
- A dentada do javali

A mordida que só se evidencia pela vermelhidão excessiva da pele mordida é chamada de "oculta".

Quando a pele é comprimida de ambos os lados, temos a "mordida inchada".

Quando uma pequena porção da pele é mordida com todos os dentes, temos a "linha de pontos".

A mordida conjunta de dentes e lábios é chamada de "coral e jóias". Os lábios são o coral, os dentes as jóias.

Quando a mordida é feita com todos os dentes, recebe o nome de "linha de jóias".

A mordida que consiste em um círculo de protuberâncias desiguais resultantes dos espaços entre os dentes denomina-se "nuvem quebrada", sendo feita nos seios.

A mordida que consiste em muitas linhas largas de marcas próximas umas das outras, e com intervalos vermelhos, é chamada "dentada de javali". Faz-se nos seios e ombros. Esses dois últimos modos de morder são peculiares de pessoas de intensa paixão.

O lábio inferior é o lugar da "mordida oculta", da "mordida inchada" e do "ponto"; as "mordida inchada" e "coral e jóias" são praticadas nas faces. O beijo, o apertão com ajuda das unhas e a mordida são ornamentos da face esquerda, e quando se fala em face, devemos entender sempre a esquerda.

Tanto a "linha de pontos" como a "linha de jóias" devem ser feitas na garganta, nas axilas e nas articulações das coxas; só a linha de pontos, porém, deve ser praticada na fronte e nas coxas.

As marcas de unha e as mordidas nos seguintes objetos são sinais do desejo de prazer: um ornamento da testa, um brinco, um ramo de flores, uma folha de bétel ou de tamala, usados ou pertencentes à mulher amada.

Aqui terminam as diferentes formas de mordidas.

Nas questões de amor, o homem deve fazer aquilo que for agradável às mulheres dos diferentes países.

As mulheres dos países centrais (isto é, entre o Ganges e o Jumna) têm um caráter nobre e não estão habituadas às práticas indignas, sendo avessas aos apertos com ajuda de unhas e às mordidas.

As mulheres de Balhika são conquistadas com pancadas.

As mulheres de Avantika amam os prazeres perversos e não têm boas maneiras.

As mulheres de Maharashtra gostam de praticar as 64 artes, dizem palavras grosseiras e gostam que o amante lhes fale no mesmo tom, tendo um forte desejo de prazer.

As mulheres de Pataliputra (isto é, o moderno Patna) são da mesma natureza das mulheres de Maharashtra, mas só demonstram suas preferências em segredo.

As mulheres de Dravida, embora acariciadas e apertadas no momento do jogo sexual, têm um sêmen que flui lentamente, e praticam o coito com muita lentidão.

As mulheres de Vanavasi são moderadamente apaixonadas, praticam todas as formas de prazer, cobrem os corpos e insultam os que proferem palavras grosseiras, vulgares e duras.

As mulheres de Avanti não gostam de beijos, de arranhões e mordidas, mas são inclinadas às várias formas de união sexual.

As mulheres de Malwa gostam de abraços e beijos mas não de serem machucadas, embora se deixem conquistar quando espancadas.

As mulheres de Abhira e as do país próximo do Indo e dos cinco rios (isto é, o Penjabe) são conquistadas pela Auparishtaka, ou congresso oral.

As mulheres de Aparatika são apaixonadas e fazem lentamente o som *sit*.

As mulheres de Lat têm um desejo ainda mais apaixonado e também fazem o som *sit*.

As mulheres de Stri Rajya, e de Koshola (Oude) são de um desejo impetuoso, seu sêmen flui em grandes quantidades, gostam de tomar remédios para reforçá-lo.

As mulheres de Andhra têm corpos suaves, gostam de diversões e de prazeres voluptuosos.

As mulheres de Ganda têm corpos suaves e falam com doçura.

Suvarnanabha é de opinião que as coisas agradáveis à natureza de uma pessoa são mais importantes do que as coisas do agrado de toda uma nação, e que portanto as peculiaridades do país não devem ser observadas, nesses casos. Os vários prazeres, as roupas e os jogos de um país são, com o correr do tempo, copiados por outros, e nesse caso tais coisas devem ser consideradas como características do país original.

Entre o que foi mencionado acima, como por exemplo os abraços, beijos etc., os que aumentam a paixão devem ser praticados primeiro, e os praticados apenas como diversão ou para variar devem ficar para depois.

Há sobre esse assunto alguns versículos, que são os seguintes:

"Quando o homem morde a mulher com força, ela deve fazer o mesmo com ele, com força ainda maior. Assim, um 'ponto' deve ser retribuído com uma 'linha de pontos', e esta com uma 'nuvem quebrada', e, se estiver profundamente irritada, iniciará uma briga de amor. Deve então segurar o amante pelo cabelo, inclinar-lhe a cabeça para baixo, beijar-lhe o lábio inferior e, embriagada pelo amor, fechar os olhos e morder o amante em diferentes partes do corpo. Mesmo de dia e em lugar público, quando seu amante lhe mostrar alguma marca que ela lhe possa ter infligido no corpo, deve sorrir à vista dessa marca, e, voltando a face como se o fosse censurar, mostrar-lhe com um olhar zangado as marcas no seu próprio corpo que tenham sido feitas por ele. Assim, se o homem e a mulher agirem de acordo com o gosto de ambos, o seu amor não diminuirá, nem mesmo ao fim de cem anos."

CAPÍTULO VI

Das diferentes maneiras de deitar-se
e dos vários tipos de congresso

Por ocasião de um "congresso alto" a mulher Mrigi (corça) deve deitar-se de modo a alargar seu iôni, ao passo que no "congresso baixo" a mulher Hastini (elefanta) deve colocar-se de modo a contraí-lo. No "congresso igual", porém, devem deitar-se em posição natural. O que se disse acima sobre as mulheres Mrigi e Hastini aplica-se também à mulher Vadawa (égua). Num "congresso baixo" a mulher deve fazer uso de remédios que tornem mais rápida a sua satisfação.

A mulher corça tem as três maneiras seguintes de deitar-se:

- A posição muito aberta
- A posição aberta
- A posição da mulher de Indra

Ao abaixar a cabeça e elevar as partes médias do corpo, toma a posição "muito aberta". Nessa ocasião, o homem deve aplicar um ungüento a fim de tornar mais fácil a penetração.

Quando a mulher suspende as pernas e as mantém muito afastadas e assim pratica o ato sexual, adota a "posição aberta".

Se coloca as coxas com as pernas dobradas sobre as ilhargas e nessa posição pratica o congresso, temos a chamada posição de Indrani, que só se aprende pela prática. Essa posição também é útil no caso do "congresso superior".

A "posição aderente" é usada no "congresso baixo" e no congresso inferior, juntamente com a "posição pressionante", a "posição envolvente" e a "posição de égua".

Quando as pernas tanto do homem como da mulher estão estendidas umas sobre as outras, adotam a "posição envolvente", que se pode praticar de duas maneiras: na posição lateral e em decúbito dorsal. Na posição lateral o homem deve, invariavelmente, deitar-se do seu lado esquerdo e a mulher de seu lado direito, regra a ser observada em relação a todos os tipos de mulheres.

Quando, depois de iniciado um congresso na posição envolvente, a mulher pressiona o amante com suas coxas, passa à "posição pressionante".

Quando a mulher envolve com uma de suas coxas a coxa do amante, temos a "posição envolvente".

Quando a mulher segura vigorosamente o linga em seu iôni, está na "posição de égua", que só se aprende pela prática, sendo praticada sobretudo entre as mulheres do país de Andhra.

Essas são as diferentes maneiras de deitar-se, mencionadas por Babhravya. Suvarnanabha, porém, fala das seguintes posições:

Quando a mulher levanta as duas coxas verticalmente, adota a "posição elevada".

Quando levanta as duas pernas colocando-as nos ombros do amante, está na "posição aberta".

Quando as pernas são encolhidas e mantidas pelo amante à frente de seu peito, realiza-se a "posição pressionante".

Quando apenas uma das pernas é estirada, a posição chama-se "meio pressionante".

Quando a mulher coloca uma de suas pernas no ombro do amante e estende a outra, e então coloca esta última sobre o ombro do amante e estica a outra perna, continuando a fazê-lo alternadamente, a posição denomina-se "rachar de um bambu".

Quando uma das suas pernas é colocada na cabeça e a outra é estendida, dá-se a tal posição o nome de "fixação do prego". Só é aprendida pela prática.

Quando as duas pernas da mulher estão contraídas e colocadas sobre sua barriga, ela está na "posição de caranguejo".

Quando as coxas estão levantadas e colocadas uma sobre a outra, a mulher adota a "posição de feixe".

Quando as canelas estão colocadas uma sobre a outra, chama-se "posição em forma de lótus".

Quando o homem, durante o congresso, se volta e goza a mulher sem a deixar, enquanto ela o enlaça pelas costas durante todo o tempo, praticam a "posição giratória", que só é aprendida pela prática.

Desse modo, diz Suvarnanabha, essas diferentes posições deitadas, de pé e sentadas devem ser praticadas na água, por serem ali mais fáceis de executar. Mas Vatsyayana é de opinião que o congresso na água é impróprio, por ser proibido pela lei religiosa.

Quando o homem e a mulher se apóiam mutuamente, ou contra uma parede, um pilar e assim de pé praticam o congresso, a isso se dá o nome de "congresso apoiado".

Quando o homem se apóia contra uma parede e a mulher, sentada sobre as suas mãos unidas e mantidas sob ela, enlaça-o pelo pescoço e, envolvendo-lhe a cintura com as coxas apóia os pés na parede em que o homem se apóia, para provocar movimentos do corpo, temos então o "congresso suspenso".

Quando a mulher se ergue sobre suas mãos e pés como um quadrúpede e seu amante monta-a como a um touro, temos o "congresso da vaca". Nessas ocasiões, tudo o que habitualmente se faz no peito será feito nas costas.

Da mesma forma se pode praticar o congresso do cão, o congresso do bode, o congresso da corça, o violento congresso do jumento, o congresso do gato, o salto do tigre, a pressão do elefante, o roçar do javali e a montada do cavalo. Em todos esses casos, as características desses diferentes animais devem ser manifestadas, comportando-se os amantes de maneira semelhante a eles.

Quando o homem desfruta duas mulheres ao mesmo tempo, que o amam igualmente, temos um "congresso unido".

Quando o homem desfruta muitas mulheres simultaneamente, é o "congresso de manada de vacas".

Os tipos seguintes de congresso – brincadeiras na água, ou congresso do elefante com muitas elefantas, que só ocorre na água; o congresso de um rebanho de cabras, o congresso de um rebanho de corças – ocorrem quando esses animais são imitados.

Em Gramaneri muitos rapazes desfrutam a mulher que pode ser casada com um deles, seja um após o outro, ou todos ao mesmo tempo. Assim, um deles a

segura, o outro a goza, um terceiro usa-lhe a boca, um quarto segura suas partes médias, e dessa maneira se sucedem, gozando-lhe todas as partes alternadamente.

O mesmo pode ser feito quando vários homens se acham em companhia de uma cortesã. Da mesma forma, isso pode ser feito pelas mulheres do harém real, quando se apoderam acidentalmente de um homem.

Os habitantes dos países do Sul têm também um congresso pelo ânus, que é chamado de "congresso mais baixo".

Assim terminam os vários tipos de congresso. Há dois versículos sobre esse assunto, e que são os seguintes:

"A pessoa imaginativa deve multiplicar os tipos de congresso, segundo a maneira pela qual são praticados pelos diferentes animais e pássaros. Esses diferentes tipos de união, se realizados de acordo com o costume de cada país e as preferências de cada pessoa, provocam o amor, a amizade e o respeito nos corações das mulheres."

CAPÍTULO VII

Das várias maneiras de bater e dos sons que a elas correspondem

A relação sexual pode ser comparada a uma contenda tendo em vista as contrariedades do amor e a sua tendência à disputa. É no corpo que se bate com paixão, e nele os pontos especiais são:

- Os ombros
- A cabeça
- O espaço entre os seios
- As costas
- O jaghana, ou a parte média do corpo
- Os flancos

Há quatro tipos de pancadas:

- Pancadas com as costas da mão
- Pancadas com os dedos um pouco contraídos
- Pancadas com os punhos
- Pancadas com a palma da mão aberta

Por causa da dor que provocam, as pancadas dão origem ao som sibilante, que é de vários tipos, e às oito espécies de lamentações:

- O som Hin
- O som de trovão
- O som de arrulho
- O som de choro
- O som Fut
- O som Fat
- O som Sut
- O som Plat

Além disso, há também palavras com significado, como "mãe", e as que expressam proibição, suficiência, desejo de libertação, dor ou elogio, e às quais se podem acrescentar sons como os da pomba, do cuco, do pombo verde, do papagaio, da abelha, do pardal, do flamingo, do pato e da codorniz, todos utilizados ocasionalmente.

Os golpes com o punho devem ser dados nas costas da mulher quando sentada no colo do homem, e esta por sua vez deve retribuí-los, ofendendo o homem como se estivesse zangada e emitindo os sons de arrulho e choro. Enquanto a mulher estiver praticando o congresso, o espaço entre os seios deve ser golpeado com as costas da mão, de leve a princípio e depois em proporção ao aumento do desejo, até o final.

A essa altura, os sons Hin e outros podem ser feitos, alternada ou opcionalmente, de acordo com o hábito. Quando o homem, fazendo o som Fat, golpeia a mulher na cabeça, tendo um pouco contraídos os dedos, esse golpe é chamado de Prasritaka, o que significa golpe com os dedos da mão um pouco contraídos. Nesse caso, os sons apropriados são o arrulho, o som Fat e o som Fut no interior da boca; e, ao final do congresso, os sons de suspiros e choro. O som Fat é uma imitação do som do bambu sendo rachado, enquanto o som Fut assemelha-se ao feito por alguma coisa que cai na água. Em todos os momentos em que forem iniciados os beijos e carícias semelhantes, a mulher deve dar uma resposta com um som sibilante. Durante a excitação, quando a mulher não está habituada a apanhar, exclama continuamente palavras que exprimem proibição, suficiência ou desejo de libertação, bem como as palavras "pai-zinho", "mãezinha", misturadas com os suspiros, o choro e os sons do trovão.[1] Já no fim do ato sexual, os seios, o jaghana e os flancos da mulher devem ser pressionados com as palmas da mão aberta, com alguma força, até o término, devendo produzir-se então os sons da codorniz e do ganso.

Há dois versículos sobre o assunto:

"As características do sexo masculino são, ao que se afirma, a dureza e a impetuo-sidade, ao passo que a fraqueza, a ternura, a sensibilidade e a inclinação a afastar-se de coisas desagradáveis são características do sexo feminino. A excitação da paixão e certas peculiaridades do hábito podem fazer surgir resultados contrários que, porém, não duram muito tempo, restabelecendo-se ao final o estado natural."

A cunha no peito, a tesoura na cabeça, o instrumento perfurante nas faces e a pinça nos seios e flancos também podem ser levados em consideração, juntamente com as quatro outras maneiras de espancar, o que em conjunto nos proporciona oito maneiras diferentes. Mas essas quatro formas de bater com instrumentos são peculiares aos povos meridionais, e as marcas por elas causadas são vistas nos seios de suas mulheres. São peculiaridades locais, mas Vatsyayana é de opinião que tal prática é dolorosa, bárbara e vil, indigna de ser imitada.

Da mesma forma, qualquer coisa que seja uma peculiaridade local nem sempre deve ser adotada em outros lugares, e mesmo nos locais onde essa prática ocorre devem-se sempre evitar os excessos. Exemplos de usos perigosos de tais práticas são mencionados a seguir. O rei dos Panchalas matou a cortesã de Madhavasena com uma cunha durante o congresso. O rei Satakarni Satavahana, dos Kuntalas, privou a sua grande rainha Malayavati da vida com um par de

---

[1] Os homens familiarizados com a arte do amor sabem muito bem como as mulheres se distinguem umas das outras em seus suspiros e sons durante o congresso sexual. Algumas mulheres gostam que se lhes fale amorosamente, outras sensualmente, outras ainda da maneira mais ofensiva, e assim por diante. Algumas mulheres sentem prazer com os olhos fechados em silêncio, outras fazem grande barulho e algumas quase desmaiam. A grande arte é verificar o que lhes proporciona maior prazer, e que formas são delas preferidas.

tesouras, e Naradeva, cuja mão ficou deformada, cegou uma dançarina com um instrumento perfurante mal manejado.

Há também dois versículos sobre o assunto, e que são os seguintes:

"Tais coisas não podem ser enumeradas, nem há sobre elas uma regra definida. Uma vez iniciado o congresso, só a paixão dá origem a todos os atos cometidos."

"Os atos apaixonados e os gestos ou movimentos amorosos que surgem no calor do momento, e durante a relação sexual, não podem ser definidos e são tão irregulares quanto os sonhos. Tendo um cavalo alcançado o quinto grau do movimento, continua com velocidade cega, a despeito de poços, valas e obstáculos em seu caminho. Da mesma forma o par de amantes se torna cego de paixão no calor do congresso, e continua com impetuosidade, sem se importar com os excessos. Por essa razão, quem conhece bem a ciência do amor, e conhece a sua força bem como a ternura, impetuosidade e vigor das mulheres jovens, deve agir com prudência. Os vários modos de gozo não devem ser praticados em todos os momentos ou por todas as pessoas, mas só devem ser usados nos momentos adequados, e nos lugares próprios."

CAPÍTULO VIII

Das mulheres que desempenham
o papel do homem e da atuação do homem

Quando a mulher percebe estar o seu amante fatigado pelo congresso prolongado, sem que o desejo dele tenha sido satisfeito, deve, com sua permissão, colocá-lo de costas e ajudá-lo, desempenhando o papel que a ele cabe. Também pode agir assim para satisfazer a curiosidade do amante, ou a sua própria.

Há duas maneiras de proceder assim. A primeira é quando, durante o congresso, ela se volta e passa a ficar por cima do amante e nessa posição continua o ato, sem interromper o prazer. A outra, é quando desempenha desde o início o papel masculino. Nessa ocasião, desarranjadas as flores de seu cabelo e desfeito o seu sorriso pelo arfar da respiração, ela pressiona com os seios o peito do amante e, abaixando muitas vezes a cabeça, deve praticar os mesmos atos por ele praticados, imitando seus golpes e zombando dele. Deve dizer: "Você me deitou de costas e me cansou com a sua violência; agora é a minha vez." Deve então fingir-se de envergonhada, expressar seu cansaço e seu desejo de interromper o congresso. Dessa maneira desempenhará ela o papel do homem, que vamos agora descrever.

Tudo o que o homem faz para proporcionar prazer à mulher é chamado de trabalho do homem, consistindo no seguinte:

Estando a mulher deitada, o homem, fingindo distrair-se com a conversa, deve desabotoar suas roupas e, se ela protestar, silenciá-la com seus beijos. Quando seu linga estiver levantado, deve acariciar o corpo da amante, afagando com carinho as suas várias partes. Se a mulher for tímida e se for a primeira vez que se reúnem, o ho-mem deve colocar suas mãos entre as coxas dela, que provavelmente estarão fechadas; em se tratando de moça muito nova, ele deve tocar-lhe primeiramente os seios, que ela provavelmente tentará cobrir com as mãos, e as axilas e o pescoço. Se, porém, for uma mulher experimentada, o amante deve fazer tudo o que lhe causar prazer, a ele ou a ela, e for adequado à ocasião. Depois disso, deve agarrá-la pelos cabelos e levantar-lhe o queixo para beijá-la. Se ela for muito nova, sentirá vergonha e fechará os olhos. Em qualquer circunstância, o amante perceberá, pelo comportamento da mulher, o que lhe causa maior prazer durante o congresso.

Suvarnanabha diz que, ao fazer o que lhe agrada durante a união, o ho-mem deve ter o cuidado de acariciar as partes do corpo da amada para as quais ela própria volta o seu olhar.

Os sinais do prazer e da satisfação experimentados pela mulher são os seguintes: seu corpo se relaxa, seus olhos se fecham, desaparece toda a timidez e ela mostra um desejo crescente de unir os dois órgãos o mais estreitamente possível. Por outro lado, os sinais de seu desprazer e insatisfação são os seguintes: ela aperta as mãos, não deixa que o homem se levante, sente-se abatida, morde o amante, dá pontapés e continua a mexer depois que ele termina. Nesse caso, o homem deve acariciar o iôni da mulher com a mão e os dedos (como o elefante esfrega qualquer coisa com a tromba) antes da união, até que ela se umedeça, e só depois então deve colocar nela o seu linga.

Os atos a serem praticados pelo homem classificam-se assim:

• Movimento para a frente
• Fricção ou mexida
• Perfuração
• Esfrega
• Pressão

- Golpe
- Golpe do javali
- Golpe do touro
- Caça ao pardal

Quando os órgãos são colocados em contato de maneira adequada e diretamente, temos então o movimento para a frente.

Quando o linga é segurado com a mão e movimentado circularmente no interior do iôni, a isso se chama fricção ou mexida.

Quando o iôni é abaixado e a sua parte superior golpeada com o linga, ocorre a perfuração.

Quando a mesma coisa é feita na parte inferior do iôni, passa a chamar-se esfrega.

Quando o iôni é pressionado pelo linga durante longo tempo, ele está fazendo a pressão.

Quando o linga é retirado a uma certa distância do iôni, e em seguida introduzido com certa força, está dando o golpe.

Quando apenas uma parte do iôni é esfregada com o linga, a isso se chama o golpe do javali.

Quando ambos os lados do iôni são esfregados, esse golpe passa a chamar-se "do touro".

Quando o linga está dentro do iôni, e é movimentado repetidamente para cima e para baixo, sem ser retirado, o pardal está sendo caçado. Isso ocorre ao final do congresso.

Quando a mulher desempenha o papel do homem, deve praticar ainda os seguintes atos, além dos nove mencionados acima:

- O par de pinças
- O pião
- O balanço

Quando a mulher segura o linga dentro de seu iôni, suga-o, prende-o e assim o mantém por longo tempo, está praticando o par de pinças.

Quando, durante o congresso, ela gira como uma roda, isso é chamado o pião, e só se aprende com a prática.

Quando, nessa ocasião, o homem eleva a parte média do seu corpo, e a mulher faz girar o ventre, temos o balanço.

Quando a mulher está cansada deve colocar a cabeça sobre a cabeça do amante, e descansar sem perturbar a união dos órgãos; depois de repousada, o homem deve voltar-se e retomar o congresso.

Há também alguns versículos sobre o assunto, e que são os seguintes:

"Embora a mulher seja modesta e disfarce suas emoções, quando ela sobe sobre o homem mostra todo o seu amor e desejo. O homem deve perceber pelo comportamento da mulher as suas inclinações e maneiras pelas quais ela gosta de ser possuída. A mulher menstruada, a que deu à luz recentemente e a gorda não devem desempenhar o papel do homem."

CAPÍTULO IX

Do Auparishtaka, ou congresso oral

Há dois tipos de eunucos, os que se disfarçam de homens e os que se disfarçam de mulheres. Estes últimos imitam as vestes, o modo de falar, os gestos, a delicadeza, a timidez, a simplicidade, a doçura e a vergonha das mulheres. Os atos praticados no jaghana ou partes médias do corpo feminino são praticados também na boca desses eunucos, e a isso se dá o nome de Auparishtaka.[1] Os eunucos encontram nessa forma de congresso o seu imaginário prazer e o seu sustento, levando portanto a vida das cortesãs. Nada mais temos a dizer sobre os eunucos vestidos de mulher.

Os eunucos que se vestem de homem guardam em segredo seus desejos e quando se querem realizar, assumem a atividade de massagistas. Fingindo massagear, esse tipo de eunuco abraça, atraindo-as para si, as coxas do homem

---

[1] Essa prática parece ter sido corrente em certas partes da Índia desde uma época muito antiga. Já no *Shustruta*, obra sobre medicina com cerca de 2 mil anos, descreve-se o ferimento causado no linga pelos dentes como uma das causas de certa doença. Também no século VIII encontramos vestígios dessa prática, pois várias espécies de Auparishtaka estão representadas em esculturas de muitos templos de Xiva em Bhuvaneshwara, perto de Cuttack, em Orissa, construídos mais ou menos nesse período. Pelo fato de terem encontrado essas esculturas nesses lugares, pode-se concluir que essa forma de união sexual era então generalizada na região. Como tal prática não parece ser hoje muito comum no Indostão, é possível que tenha sido substituída pela sodomia, introduzida durante o período de ocupação muçulmana.

massageado, tocando em seguida as juntas de suas coxas e seu jaghana, ou partes centrais do corpo. Se o linga do homem entra em ereção, ele o segura e fricciona, para mantê-lo nesse estado. Se depois disso, conhecendo as intenções do eunuco, o homem nada diz, ele continua e dá início ao congresso. Mas se o homem lhe disser para prosseguir, discutirá com ele e só dificilmente acabará por concordar.

Os oito atos seguintes são praticados pelo eunuco, um depois do outro:

- O congresso nominal
- As mordidas dos lados
- A pressão exterior
- A pressão interior
- Os beijos
- A esfrega
- O chupar da manga
- A deglutição

Ao concluir cada um desses atos o eunuco manifesta sua vontade de parar, mas o homem deseja sempre o ato seguinte, depois do outro, e mais outro, e assim sucessivamente.

Quando, segurando o linga do homem com a mão e colocando-o entre os lábios, o eunuco mexe com a boca, realiza o "congresso nominal".

Quando, cobrindo a extremidade do linga com os dedos entrançados como um botão de flor, o eunuco pressiona os lados do membro com seus lábios, usando também os dentes, ocorre a "mordida dos lados".

Quando, sendo solicitado a prosseguir, o eunuco pressiona a ponta do linga com seus lábios fechados, e o beija como se o estivesse sugando, temos o que é chamado de "pressão interior".

Quando lhe pedem para continuar, ele coloca o linga ainda mais para dentro da boca, pressiona-o com os lábios para depois retirá-lo, a isso se dá o nome de "pressão interior".

Quando, segurando o linga na mão, o eunuco o beija como se estivesse beijando o lábio inferior, está praticando o "beijo".

Quando, depois de beijar, toca-o com a língua em toda a sua extensão, principalmente na extremidade, chama-se a isso a "esfrega".

Quando, da mesma forma, ele coloca a metade do linga na boca e o beija e chupa vigorosamente, está "chupando a manga".

Finalmente, quando, com o consentimento do homem, o eunuco coloca todo o linga na boca e o aperta até o fim, como se o fosse engolir, temos a "deglutição".

Bater, arranhar e coisas semelhantes podem também ser feitas durante esse tipo de congresso.

O Auparishtaka é praticado também pelas mulheres dissolutas e impudicas, pelas servas e criadas, ou seja, as que não são casadas, mas que ganham a vida fazendo massagens.

Os Acaryas (isto é, os autores antigos e venerandos) são de opinião que o Auparishtaka é um ato digno de cães e não de homens, por ser uma prática vil e contrária às ordens da Sagrada Escritura, e também porque o próprio homem sofre ao colocar o seu linga em contato com a boca de eunucos e mulheres. Mas Vatsyayana acha que as ordens da Sagrada Escritura não são violadas pelos que recorrem às cortesãs, e que a lei só proíbe o Auparishtaka com as mulheres casadas. Quanto aos males que podem advir ao homem, isso se pode remediar facilmente.

Os habitantes da Índia oriental não recorrem às mulheres que praticam o Auparishtaka.

Os habitantes de Ahichhatra a elas recorrem, mas abstendo-se de qualquer contato com sua boca.

Os habitantes de Saketa praticam com essas mulheres todas as formas de congresso oral, enquanto o povo de Nagara as evitam, embora aceitando todos os outros tipos de união.

Os moradores de Shurasena, na margem meridional do Jumna, fazem tudo sem qualquer hesitação, pois dizem que, sendo as mulheres naturalmente impuras, ninguém pode ter confiança em seu caráter, sua pureza, seu comportamento, suas práticas, suas confidências ou sua fala. Não devem, porém, ser desprezadas por isso, porque a lei religiosa, que nos autoriza a considerá-las puras, estabelece que o úbere da vaca está limpo no momento da ordenha, embora a sua boca, e também a boca do bezerro, sejam consideradas como impuras pelos hindus. Também o cão está limpo quando agarra a corça na caça, embora o alimento tocado pelo cão seja, em outras circunstâncias, considerado como imundo. O pássaro está limpo ao provocar a queda de um fruto de árvore, bicando nele, embora as coisas tocadas pelos corvos e outras aves sejam consideradas impuras. E podemos considerar limpa a mulher para os beijos e carícias semelhantes, durante a relação sexual. Vatsyayana acha, além do mais, que em tudo o que se relaciona com o amor, as pessoas devem agir segundo o costume de sua terra e segundo as suas próprias inclinações.

Há também os seguintes versículos sobre o assunto:

"Os criados de certos homens realizam o congresso oral com seus senhores. Ele é também praticado por alguns citadinos, que se conhecem bem, entre si. Algumas mulheres do harém, quando apaixonadas, praticam esse ato entre si, em seus iônis, havendo homens que também o fazem com mulheres. A maneira de fazê-lo (isto é, de beijar o iôni) assemelha-se aos beijos na boca. Quando o homem e a mulher deitam-se em posições inversas, ou seja, a cabeça de um junto dos pés de outro, e realizam esse tipo de congresso, ele recebe o nome de "congresso do corvo".

Por amor a tais práticas, as cortesãs abandonam homens de boas qualidades, liberais e inteligentes, e se ligam a pessoas de baixa condição, como escravos e condutores de elefantes. O Auparishtaka, ou congresso oral, não deve ser praticado nunca por um brâmane culto, por um ministro encarregado de negócios de Estado, ou por homens de boa reputação, porque, embora seja um ato permitido pelos Shastras, não há razões para praticá-lo, e só deve ocorrer em casos particulares. Como por exemplo o gosto, o vigor e as qualidades digestivas da carne de cachorro são mencionadas em obras de medicina, mas não se segue daí que ela deva ser consumida pelo homem prudente. Por outro lado, há homens, lugares e momentos que tornam possíveis tais práticas. O homem deverá, por essa razão, atentar para o lugar, o momento e a prática a ser realizada, bem como para o fato de ser ela ou não agradável à sua própria natureza. Poderá, então, permitir-se tais práticas ou não, segundo as circunstâncias. Afinal de contas, tais coisas são feitas em segredo e, sendo inconstante o espírito do homem, como saber o que uma pessoa fará em determinado momento, e com determinada finalidade?

CAPÍTULO X

Do modo de iniciar e terminar o congresso. Diferentes tipos de congresso e de brigas de amor

Na sala do prazer, decorada com flores e aromatizada com fragrâncias, na companhia de amigos e criados, o citadino receberá a mulher, que se apresentará banhada e vestida de maneira adequada, convidando-a a tomar refrescos e a beber livremente. Então se sentará ao seu lado esquerdo e, segurando-lhe os cabelos e tocando-lhe a fímbria e laços da roupa, deve abraçá-la gentilmente com seu braço direito. Devem travar uma conversação divertida sobre assuntos variados, e também podem falar sugestivamente de coisas consideradas como grosseiras ou que não são geralmente mencionadas em sociedade. Podem, em seguida, cantar, fazendo gestos ou não, tocar instrumentos musicais, conversar sobre as artes e estimularem-se mutuamente a beber. Por fim, quando o amor e o desejo tiverem sido despertados na mulher, o citadino deve despedir-se das outras pessoas que estiverem em sua companhia, presenteando-as com flores, ungüentos e folhas de bétel. Quando ficar a sós com a mulher, deverá comportar-se da maneira que já foi descrita nos capítulos anteriores.

É esse o início da união sexual. Ao final do congresso os amantes, com pudor e sem se olharem, deverão ir separadamente à sala de banho. Retomando depois seus lugares, devem comer folhas de bétel. O homem deve aplicar, com suas próprias mãos, ungüento puro de sândalo ao corpo da mulher, ou qualquer outro tipo de ungüento. Deve, em seguida, envolvê-la com seu braço esquerdo e, usando palavras carinhosas, fazê-la beber da taça que terá nas mãos, ou poderá oferecer-lhe água. Podem comer doces ou qualquer outra coisa que seja de seu agrado, beber sucos frescos,[1] tomar sopas, tisanas, extratos de carne, sorvetes, suco de manga, suco de cidra açucarado, ou quaisquer outras coisas que possam ser apreciadas nas diferentes regiões, e que sejam doces, suaves e puras. Os amantes também podem sentar-se no terraço do palácio ou casa e apreciar o luar, conversando agradavelmente. Nessa ocasião, tendo a mulher deitada em seu regaço com o rosto voltado para a lua, o citadino deve mostrar-lhe os diferentes planetas, a estrela matutina, a estrela polar, os sete Rishis, ou a Grande Ursa.

Assim termina a união sexual.

O congresso pode ser dos tipos seguintes:

- Congresso amoroso
- Congresso de amor subseqüente
- Congresso de amor artificial
- Congresso de amor transferido
- Congresso semelhante ao dos eunucos
- Congresso enganoso
- Congresso de amor espontâneo.

Quando o homem e a mulher que há algum tempo já se amam se reúnem em meio a grandes dificuldades, ou quando um deles volta de uma viagem, ou se reconciliam depois de se terem separado por causa de uma briga, seu congresso é chamado de "amoroso". Realiza-se de acordo com as preferências dos amantes e por todo o tempo que desejem.

---

[1] Na Índia, é costume beber água de coco, sucos de tâmaras e de outros frutos de palmeiras. Esses líquidos conservam-se frescos durante muito tempo, mas fermentam rapidamente, sendo então destilados para fazer licor.

Quando duas pessoas se unem, estando seu amor ainda na infância, seu congresso é chamado de "congresso de amor subseqüente".

Quando o homem pratica o congresso excitando-se com as 64 maneiras, como beijos etc., ou quando o homem e a mulher se reúnem, embora na realidade estejam enamorados de outras pessoas, seu congresso é então chamado de "congresso de amor artificial". Nessa ocasião, todos os meios e formas mencionados no Kama Shastra devem ser usados.

Quando o homem, do princípio ao fim do congresso, embora tendo ligação com a mulher, pensa sempre estar desfrutando outra a quem ama, esse congresso é chamado "de amor transferido".

O congresso entre o homem e a mulher aguadeira, ou a mulher criada de uma casta inferior à sua, e que dura apenas enquanto dura o desejo, é chamado de "congresso semelhante ao dos eunucos". As carícias exteriores, os beijos e os toques não devem ser utilizados.

O congresso entre uma cortesã e um camponês, e o congresso entre citadinos e as mulheres de aldeias e países limítrofes, é chamado de "congresso enganoso".

O congresso que ocorre entre duas pessoas que se sentem mutuamente atraídas e que se faz de acordo com seus gostos, tem o nome de "congresso espontâneo".

Aqui terminam os tipos de congresso.

Falaremos agora das brigas amorosas.

A mulher que está muito apaixonada por um homem não tolera ouvir o nome de sua rival, ou falar dela, ou que a chamem por seu nome, por engano. Se isso ocorre, surge uma grande briga, a mulher chora, zanga-se, desfaz os cabelos, bate no amante, cai da cama ou da cadeira e, jogando fora as grinaldas e ornamentos, atira-se ao chão.

Nessa ocasião, o amante deve procurar apaziguá-la com palavras conciliatórias, pegá-la cuidadosamente no colo e colocá-la na cama. Ela, porém, sem responder às suas perguntas e com raiva ainda maior, deve puxar-lhe os cabelos fazendo com que abaixe a cabeça, dar-lhe vários pontapés nos braços, cabeça, peito ou costas. Feito isso, correrá para a porta do quarto. Dakata diz que a mulher deve sentar-se com irritação próximo da porta e chorar, mas sem sair, pois estaria em erro se saísse. Depois de algum tempo, quando lhe parecer que as palavras e atos conciliatórios do amante chegaram ao ponto máximo, deve então abraçá-lo, falando-lhe com palavras de mágoa e censura, mas ao mesmo tempo demonstrando um desejo amoroso de congresso.

Quando a mulher está em sua própria casa e brigou com o amante, deve demonstrar-lhe toda a sua zanga e deixá-lo sozinho. Posteriormente, tendo o citadino mandado o Vita, o Vidushaka ou o Pithamarda[2] acalmá-la, a mulher deve acompanhá-los de volta à casa, e passar a noite com o amante.

Assim terminam as brigas amorosas.

Para concluir:

O homem que emprega as 64 artes mencionadas por Babhravya consegue

---

[2] As características dessas três personagens foram descritas na Parte I, capítulo IV, nota 17.

seu objetivo, e desfruta a mulher de primeira qualidade. Embora possa falar bem de outros assuntos, se não conhecer as 64 divisões, não gozará de respeito na assembléia dos homens cultos. O homem que não tiver outros conhecimentos, mas for bem versado nas 64 divisões, será um líder em qualquer sociedade, masculina ou feminina. Que homem não respeitará as 64 artes,[3] considerando-se que são respeitadas pelos homens cultos, pelos homens habilidosos e pelas cortesãs? Por serem respeitadas, encantadoras e contribuírem para o talento das mulheres, os Acharyas consideram as 64 artes caras às mulheres. O homem que com elas se familiariza é visto com amor pela própria esposa, pelas esposas dos outros e pelas cortesãs.

---

[3] A descrição das 64 artes é feita na Parte I, capítulo III.

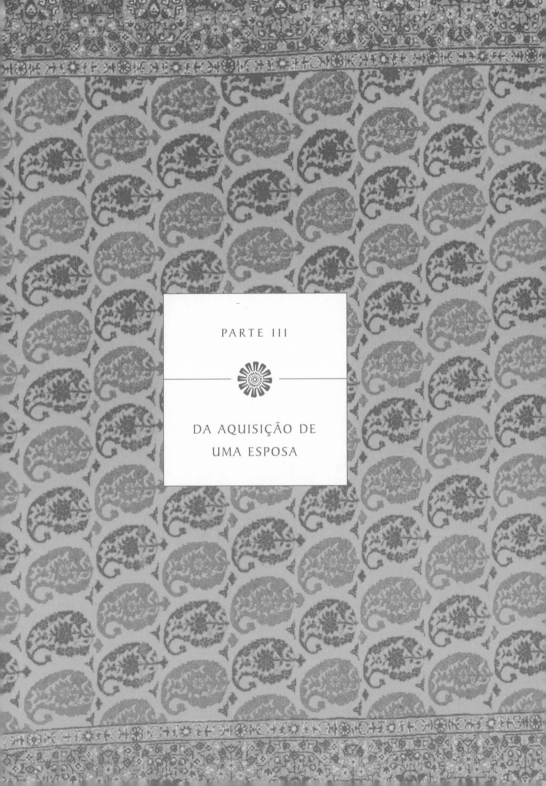

PARTE III

DA AQUISIÇÃO DE
UMA ESPOSA

CAPÍTULO I

※

Do casamento

Quando uma moça da mesma casta, e virgem, é desposada de acordo com os preceitos da Sagrada Escritura, os resultados dessa união são a aquisição de Dharma e de Artha, de descendentes, afinidades, aumento do número de amigos e um amor imaculado. Por isso, o homem deve fazer com que sua afeição recaia numa moça de boa família, cujos pais estejam vivos, que seja mais jovem do que ele três anos ou mais. Ela deve vir de uma família muito respeitável e ter muitos parentes e amigos. Deve também ser bonita, de boa disposição, ter sinais de boa sorte no corpo, bons cabelos, unhas, dentes, orelhas, olhos e seios, exatamente como devem ser, proporcionais ao seu talhe, e gozar de boa saúde. Também o homem deve, é claro, ter as mesmas qualidades. Mas em nenhuma hipótese, diz Ghotakamukha, a moça que já se uniu a outros (isto é, que já não é virgem) deve ser amada, pois isso seria censurável.

Os parentes do homem, bem como os amigos de ambas as famílias, de acordo com as necessidades, devem empenhar-se em arranjar o casamento com uma moça como a que descrevemos acima. Os amigos devem chamar a atenção dos pais da moça para as faltas, presentes e futuras, de todos os homens que possam pretender desposá-las e ao mesmo tempo louvar, até com exagero, todas as qualidades, ancestrais e paternais, de seu amigo, de forma a torná-lo atraente para a família da moça, especialmente os parentes mais ligados à mãe dela. Um dos amigos deve também disfarçar-se de astrólogo e fazer previsões sobre a boa sorte e a fortuna futuras do amigo, mostrando a existência de todos os presságios[1] e sinais[2] positivos, a boa influência dos planetas, a entrada auspiciosa do sol num signo do Zodíaco, estrelas propiciadoras e marcas de sorte em seu corpo. Outros amigos devem provocar os ciúmes da mãe da moça, dizendo-lhe que ele tem possibilidades de conseguir em outros círculos uma moça ainda melhor do que a sua filha.

A moça deve ser desposada, e também oferecida em casamento, quando a fortuna, os sinais, os presságios e as palavras[3] de outros forem favoráveis, pois, como diz Ghotakamukha, o homem não deve casar num momento qualquer, que seja de seu gosto. A moça que estiver dormindo, chorando ou fora de casa quando pedida em casamento, ou que seja noiva de outro, não deve ser desposada. Também as moças com as características seguintes devem ser evitadas:

- A que se mantém escondida
- A que tem um nome malsoante
- A que tem o nariz achatado
- A que tem o nariz arrebitado
- A que tem aparência masculina
- A que anda encurvada
- A que tem pernas tortas
- A que tem a testa saliente
- A que é calva
- A que não gosta da pureza
- A que foi conspurcada por outro
- A que sofre de Gulma[4]

---

[1] Considera-se um bom presságio o vôo de um gaio azul para o lado esquerdo da pessoa, quando se inicia qualquer atividade; em compensação, o aparecimento de um gato preto, nessa ocasião, é considerado de mau agouro. Existem muitos presságios e agouros semelhantes a esse.

[2] Como por exemplo o latejar do olho direito no homem, e do olho esquerdo na mulher etc.

[3] Antes de se iniciar qualquer atividade, era costume ir de manhã cedo à casa de um vizinho para ouvir qualquer conversa; as primeiras palavras ouvidas eram uma indicação do êxito ou fracasso do empreendimento.

- A que tenha qualquer defeito físico
- A que já tenha atingido integralmente a puberdade
- A que tem relações de amizade com o homem
- A que é irmã mais nova
- A que é uma Varshakari[5]

Da mesma forma, a moça que tem o nome de uma das 27 estrelas, ou o nome de uma árvore, ou de um rio, é considerada indigna, bem como a moça cujo nome termina em "r" ou em "l". Aqueles dois autores dizem que a prosperidade só é assegurada com o casamento com uma moça amada, e que portanto só se deve tomar por esposa a moça a quem se ama.

Quando a moça chega à idade núbil, seus pais devem vesti-la com gosto e levá-la a lugares onde possa ser vista por todos. Todas as tardes, depois de vesti-la e enfeitá-la devidamente, devem mandá-la, com suas amigas, aos divertimentos, sacrifícios e cerimônias matrimoniais, mostrando-a assim em sociedade em condições favoráveis, pois ela é uma espécie de mercadoria. Devem também receber com palavras amáveis e mostras de amizade os homens de boa aparência que possam

---

[4] Enfermidade que provoca qualquer crescimento glandular de qualquer parte do corpo.
[5] A mulher que transpira muito nas palmas das mãos e na sola dos pés.

procurá-los, acompanhados de seus amigos e parentes, com o objetivo de desposar sua filha; nesses casos, sob qualquer pretexto, os pais devem apresentá-la aos visitantes, depois de tê-la vestido bem. Em seguida, devem esperar os favores da sorte e com esse objetivo fixar uma data em que possam chegar a uma resolução sobre o casamento da filha. Nessa ocasião, quando as pessoas interessadas chegarem, os pais da moça devem pedir-lhes que se banhem e jantem, e devem dizer: "Tudo será feito no devido tempo", sem responder imediatamente ao pedido, deixando para mais tarde a solução.

Conseguida dessa forma a mão da moça, seja de acordo com o costume da terra ou de acordo com o desejo do homem, este deve desposá-la dentro dos preceitos da Sagrada Escritura, e segundo uma das quatro formas de casamento.

Aqui termina o casamento.

Há também versículos sobre o assunto, e que são os seguintes:

"As diversões de sociedade, como completar versos iniciados por outros, os casamentos e as cerimônias auspiciosas não devem ser praticados com superiores nem com inferiores, mas com pessoas do mesmo nível. Deve considerar-se uma aliança feita acima de seu nível quando o homem, depois de casado, se vê obrigado a tratá-la, e aos seus parentes, como se fosse um criado; tal casamento é censurado pelas pessoas de bem. Por outro lado, a aliança condenável na qual o homem, e seus parentes, tratam a mulher como criada, é chamada de aliança abaixo do nível. Mas quando tanto o homem como a mulher se proporcionam um prazer mútuo, e quando os parentes dos dois lados se respeitam mutuamente, temos uma aliança no sentido adequado da palavra. O homem não deve, portanto, casar-se acima de seu meio, quando então será obrigado a curvar-se ante seus parentes, nem abaixo de seu nível, quando sofrerá a condenação de todos."

CAPÍTULO II

De como conquistar a confiança
da jovem esposa

Nos três primeiros dias subseqüentes ao casamento, a jovem esposa e seu marido devem dormir no chão, abster-se de relações sexuais, alimentar-se de comidas sem tempero, seja álcali ou sal. Nos sete dias que se seguem devem banhar-se ao som de instrumentos musicais auspiciosos, devem enfeitar-se, comer juntos e dar atenção aos seus parentes, bem como às pessoas que tenham vindo assistir ao casamento. Isso se aplica às pessoas de todas as castas. Na noite do décimo dia, o homem deve começar a falar à moça com palavras meigas, num local solitário, de modo a inspirar-lhe confiança. Alguns autores dizem que com o objetivo de conquistá-la ele não lhe deve dirigir a palavra durante três dias, mas os seguidores de Babhravya são de opinião que, se o homem não conversar com a moça por três dias, ela poderá sentir-se decepcionada em vê-lo mudo como um poste, e, em conseqüência, poderá começar a desprezá-lo como a um eunuco. Vatsyayana acha que o homem deve começar a conquistá-la, e a granjear sua confiança, abstendo-se porém, a princípio, dos prazeres. Sendo de natureza meiga, as mulheres desejam que tudo se faça com ternura, e quando são abordadas à força por homens que apenas conhecem, passam de súbito a ter aversão pelas ligações sexuais e até mesmo a odiar o sexo masculino. O homem deve, portanto, abordar a moça do modo como ela gosta e utilizar os artifícios capazes de inspirar-lhe uma confiança cada vez maior. Tais artifícios são os seguintes:

Deve começar por abraçá-la da maneira que ela prefere, pois esse abraço não dura muito tempo.

Deve abraçá-la com a parte superior de seu corpo, por ser essa a maneira mais fácil e mais simples. Se a moça não for muito jovem, ou se o homem já a conhece há algum tempo, pode abraçá-la num local iluminado, mas se não a conhecer bem, ou se for muito nova, deve abraçá-la no escuro.

Quando a moça aceitar o abraço, o homem deve colocar-lhe na boca uma *tambula*, ou porção de nozes e folhas de bétel; se ela recusar, deverá persuadi-la com palavras conciliatórias, súplicas e juramentos, ajoelhando-se-lhe aos pés, pois é regra universal que, por mais tímida ou irritada, uma mulher jamais deixa de acolher bem o homem que se ajoelha aos seus pés. Ao mesmo tempo em que lhe dá essa *tambula*, o marido deve beijar-lhe a boca terna e delicadamente, sem qualquer ruído. Quando ela se mostrar dócil, deve fazê-la falar e para isso indagar das coisas que conhece, ou fingir desconhecer coisas que podem ser respondidas em poucas palavras. Se a moça não conseguir manter uma conversação, não deve assustá-la, e sim repetir a mesma pergunta várias vezes, de maneira conciliatória. Se mesmo assim ela não falar, deve insistir numa resposta, porque, como diz Ghotakamukha, "todas as moças ouvem tudo o que lhes é dito pelos homens, mas por vezes não pronunciam uma única palavra". Ante essa insistência, a moça deverá responder com movimentos de cabeça,

mas se tiver brigado com o homem, nem mesmo esses movimentos deve fazer. Quando o homem perguntar se o deseja, se gosta dele, ela deve permanecer em silêncio durante longo tempo, e, ante a sua insistência, deve dar-lhe resposta positiva com um aceno de cabeça. Se o homem já conhecer a moça há muito tempo, deve conversar com ela por intermédio de uma amiga que lhe seja simpática, da confiança de ambos. Nessa ocasião, a moça deve sorrir de cabeça baixa e, se a amiga disser mais do que ela pretendia que fosse dito, deve censurá-la e brigar com ela. A amiga deve dizer, por brincadeira, até mesmo aquilo que a moça não quer que diga, e acrescentar: "Ela disse isso", ao que a moça deverá retrucar de forma pouco clara e cativante: "Oh não, eu não disse isso", sorrindo e lançando um olhar rápido para o homem.

Se a moça já for conhecida do homem, deve colocar perto dele, sem nada dizer, a *tambula*, o ungüento ou a grinalda que ele poderia ter pedido, ou pode prendê-la em sua roupa. Enquanto a moça assim faz, o homem deve tocar-lhe os seios jovens pressionando-os com as unhas. Se ela retirar sua mão, dirá: "Não farei isso se você me abraçar", levando-a assim a abraçá-lo. Durante esse abraço, deve passar a mão várias vezes pelo seu corpo. Aos poucos, deve colocá-la no colo e tentar fazer com que ela consinta cada vez mais. Se a moça não ceder, poderá atemorizá-la, dizendo: "Marcarei com meus dentes e minhas unhas os seus lábios e seios, e farei em seguida marcas semelhantes em meu próprio corpo, para dizer aos meus amigos que foram feitas por você. O que dirá, então?" Dessa e de outras maneiras, e tal como o medo ou a confiança são provocados na mente das crianças, ele deve levá-la a concordar com os seus desejos.

Na segunda e terceira noites, quando a confiança da moça tiver aumentado, o homem deve apalpar-lhe todo o corpo com as mãos, e beijá-la toda; deve também passar as mãos pelas suas coxas, massageando-as; se ela não protestar, deve massagear também as juntas das coxas. Se a jovem tentar impedir isso, o homem deverá perguntar-lhe: "Que mal há nisso?" e convencê-la a deixar que continue. Conseguido isso, deverá tocar-lhe as partes pudendas, desatar-lhe a faixa e o laço do vestido e, levantando as saias, massagear as juntas de suas coxas desnudas. Essas coisas podem ser feitas sob vários pretextos, mas o homem não deve, em tal ocasião, iniciar o congresso real. Depois disso, deve ensinar-lhe as 64 artes, dizer-lhe o quanto a ama e contar-lhe as esperanças que antes alimentava em relação a ela. Também lhe deve prometer fidelidade no futuro e afastar seus receios quanto a rivais. Finalmente, depois de vencida a timidez da jovem, deve começar a desfrutá-la de uma forma que não desperte o medo. Isso basta quanto às maneiras de conquistar a confiança da jovem esposa. Podemos lembrar ainda os seguintes versículos sobre o assunto:

"O homem que age segundo as inclinações da moça deve tentar conquistá-la, a fim de que ela o ame e nele tenha confiança. O homem não consegue êxito simplesmente seguindo as inclinações da moça, ou a elas se opondo totalmente, e deve portanto adotar um comportamento intermediário. Aquele que sabe fazer-se amar pelas mulheres, respeitar-lhes a dignidade e conquistar-lhes a confiança, pode tornar-se o objeto de seu amor. Mas aquele que trata a moça com indiferença, considera-a demasiado tímida, é por ela desprezado como um animal ignorante da sensibilidade feminina. Além disso, a jovem possuída à força por alguém que não compreende o coração da mulher torna-se nervosa, instável e deprimida, e passa a odiar o homem que dela se aproveitou. E, quando seu amor não é compreendido ou correspondido, mergulha no desespero, e passa a odiar toda a humanidade, ou a odiar seu próprio homem, o que acaba por levá-la a procurar outros homens."[1]

---

[1] Estas últimas linhas encontram muitos exemplos diferentes nos romances deste século.

CAPÍTULO III

Do namoro e da manifestação dos sentimentos por meio de gestos e atos

O homem pobre dotado de boas qualidades, o homem de família humilde dotado de qualidades medíocres, o vizinho rico e o homem controlado pelo pai ou pela mãe ou pelos irmãos, não se deve casar sem tentar, desde a infância, conquistar a jovem para que o ame e estime. Assim, o rapaz que se separou de seus pais e vive na casa de um tio deve tentar conquistar a prima, ou qualquer outra moça, embora ela seja noiva de outro. E essa maneira de conquistar a moça, diz Ghotakamukha, não é excepcional, pois Dharma pode realizar-se através dela, bem como através de qualquer outra forma de casamento.

Quando o rapaz começa, dessa maneira, a cortejar a moça que ama, deve passar o tempo com ela, divertindo-a com jogos diversos e outras distrações próprias de sua idade e das suas relações, como desempenhar o papel de membros de uma família fictícia, cozinhar, jogar dados, cartas, par ou ímpar, brincar de descobrir o dedo médio, praticar o jogo das seis pedrinhas e outros jogos semelhantes que possam existir na região e que sejam do agrado da moça. Além disso, ele deve promover vários jogos divertidos dos quais participam simultaneamente várias pessoas, como o esconde-esconde, o jogo das sementes, chicotinho queimado, a cabra-cega, os exercícios de ginástica, e outros do mesmo gênero, em companhia da moça e de seus amigos e amigas. O homem deve também mostrar grande delicadeza para qualquer mulher em quem a moça tenha confiança, bem como travar novos conhecimentos, mas acima de tudo deve fazer-se simpático à filha da ama da moça, prestando-lhe pequenos serviços, pois, se ela for conquistada, mesmo que saiba de suas intenções, não provocará dificuldades, podendo até mesmo, em certas ocasiões, promover uma união entre ele e a moça. E, embora conheça o verdadeiro caráter do homem, sempre menciona suas qualidades excelentes para os pais da jovem, mesmo que ele não lhe tenha pedido isso.

Assim, o homem deve fazer tudo o que seja mais agradável à moça, e conseguir-lhe aquilo que ela deseje ter. Pode, dessa maneira, conseguir-lhe brinquedos que sejam desconhecidos de outras moças. Pode, também, mostrar-lhe uma bola pintada de diferentes cores, e outras curiosidades semelhantes, e dar-lhe bonecas feitas de pano, madeira, chifre de búfalo, cera, farinha ou barro. E também utensílios de cozinha, imagens de madeira, como um homem e uma mulher de pé, um par de carneiros, cabras ou ovelhas; e também templos feitos de barro, bambu ou madeira, dedicados às várias deusas; e gaiolas para papagaios, cucos, estorninhos, codornizes, galos e perdizes; vasilhas para água de diferentes espécies e formas elegantes; máquinas de espalhar água; violões, suportes de imagens, tamboretes, laca, arsênico vermelho, vermelhão e colírio, bem como madeira de sândalo, açafrão, nozes e folhas de bétel. Tais coisas devem ser dadas em diferentes ocasiões, sempre que o homem tenha uma boa oportunidade de encontrar-se com a moça, e alguns desses presentes devem ser entregues quando estiverem a sós, outros em público, dependendo das circunstâncias. Em suma, ele deve tentar, de todas as maneiras, levar a moça a considerá-lo como o homem disposto a fazer tudo o que ela desejar.

Em seguida, deve fazer com que a moça tenha com ele um encontro a sós, quando lhe dirá que a razão pela qual lhe dava presentes em segredo era o temor de que os pais de ambos se zangassem, podendo acrescentar que tais presentes eram muito cobiçados por outras pessoas. Quando o amor da moça começar a revelar indícios de que está crescendo, o homem deve contar-lhe histórias agradáveis, caso ela manifeste desejo de ouvi-las. Ou, se ela gostar de truques, poderá distraí-la com vários deles; ou se tiver grande curiosidade de ver um espetáculo das várias artes, poderá mostrar-lhe suas habilidades nessas artes. Quando ela gostar de música, pode entretê-la com o canto, e em certos dias e na época de irem às feiras e às festas do luar, e no momento em que ela voltar a casa depois de uma ausência, ele deve oferecer-lhe buquês de flores, adornos para a cabeça e brincos e anéis, pois são essas as ocasiões oportunas para se oferecer tais coisas como presentes.

Também deve ensinar à filha da ama da jovem todas as 64 artes do prazer praticadas pelos homens e, sob esse pretexto, deve mostrar-lhe sua grande habilidade na arte do prazer sexual. Em todas essas ocasiões deve vestir-se bem, mantendo a melhor aparência possível, pois as moças novas gostam que os homens que as cercam sejam bonitos e bem vestidos, de boa aparência. Quanto às afirmações de que, embora se apaixonem, as mulheres não se empenham em conquistar o objeto de suas afeições, não devem ser levadas à sério.

A moça demonstra sempre seu amor por sinais exteriores e por ações, como as seguintes:

Nunca olha o homem de frente, e torna-se tímida quando é olhada por ele; aproveita-se de pretexto para mostrar-lhe seus membros; olha disfarçadamente para ele quando se afasta de junto dela; abaixa a cabeça quando ele lhe faz alguma pergunta, respondendo em palavras mal pronunciadas e frases inacabadas; tem prazer em estar em sua companhia por muito tempo; fala às suas criadas num tom peculiar na esperança de atrair a atenção do homem quando este não está ao seu lado; não deseja abandonar o local em que ele se encontra; procura pretexto para fazer com que ele olhe diferentes coisas, conta-lhe histórias muito lentamente a fim de que ele permaneça mais tempo ao seu lado; beija e abraça uma criança à sua frente; faz marcas ornamentais na testa de suas criadas; move-se com agilidade e graciosidade quando as amigas lhe dizem brincadeiras na presença do homem amado; toma como confidentes os amigos desse homem, mostra-lhes respeito e obediência; demonstra delicadeza para com os criados, conversa com eles e manda-os fazer seus serviços como se fosse a patroa; ouve com atenção quando contam a outros histórias sobre o homem amado; vai à sua casa quando induzida a isso pela filha da ama, com a ajuda de quem consegue conversar e brincar com ele; procura não ser vista por ele quando não está bem vestida e enfeitada; entrega-lhe por intermédio de uma amiga o seu brinco, anel ou grinalda de flores que ele tenha pedido para ver; usa sempre as coisas que ele lhe tenha dado de presente; fica triste quando qualquer outro possível noivo é mencionado por seus pais e não procura as pessoas que fazem parte do círculo desse rapaz, ou que possam favorecer as intenções dele.

Há sobre o assunto, também versículos, que são os seguintes:

"O homem que viu e compreendeu os sentimentos de uma moça para com ele, e que percebeu os sinais e movimentos exteriores pelos quais esses sentimentos se expressam, deve fazer todo o possível para efetuar uma união com ela. Deve conquistar uma menina ainda nova com jogos infantis, uma mocinha pela sua habilidade nas artes e a moça que o ama recorrendo às pessoas nas quais ela confia."

CAPÍTULO IV

Das coisas que o homem deve fazer para conquistar
a moça, e também o que deve ser feito por ela
para conquistar e sujeitar o homem

Quando a jovem começa a mostrar seu amor através de gestos e atos, tal como descrevemos no último capítulo, o amante deve tentar conquistá-la inteiramente por diversos meios, como os seguintes:

Quando praticar com ela qualquer jogo ou diversão, deve segurar-lhe a mão intencionalmente. Deve abraçá-la de várias maneiras, como o abraço de contato, e outros já descritos num capítulo anterior (Parte II, capítulo II). Deve mostrar-lhe um casal de seres humanos recortados numa folha de árvore, e coisas semelhantes, de tempos em tempos. Quando praticarem jogos aquáticos, ele deve mergulhar a uma certa distância dela e vir à tona ao seu lado. Deve mostrar uma crescente preferência pelas folhas novas das árvores, e coisas semelhantes. Deve descrever-lhe as dores que sofre por causa dela. Deve contar-lhe o belo sonho que teve com outras mulheres. Em festas e reuniões de sua casta, deve sentar-se junto dela e encontrar pretextos para tocá-la e, colocando sobre o dela o seu pé, deve tocar lentamente todos os dedos, fazendo pressão com as unhas; tendo êxito nessa empreitada, deve tomar-lhe nas mãos o pé, e repetir a mesma coisa. Também deve pressionar um dos dedos da mão da moça entre os dedos de seu próprio pé, quando ela o estiver lavando. E sempre que lhe fizer algum presente, ou receber qualquer coisa da moça, deve mostrar-lhe pelos gestos e pelo olhar o quanto a ama.

Deve borrifar sobre ela a água que lhe foi trazida para lavar a boca; e, quando estiverem a sós em local solitário, ou no escuro, deve confessar-lhe seu amor e seu verdadeiro estado de espírito, sem causar nela qualquer espécie de mágoa.

Sempre que ela estiver sentada ao seu lado no mesmo divã ou na mesma cama, deve dizer-lhe: "Tenho algo a comunicar-lhe em particular", e, quando ela o for ouvir num lugar tranqüilo, deve expressar-lhe seu amor, mais por gestos e sinais do que com palavras. Quando conseguir conhecer os sentimentos que ela alimenta a respeito dele, o homem deve fingir-se doente e atraí-la a sua casa, para conversar com ele. Nessa ocasião, deve segurar-lhe intencionalmente a mão e colocá-la sobre seus olhos e sua testa, e, alegando que tem de tomar um remédio, deve pedir-lhe que o prepare para ele, com as seguintes palavras: "esse remédio deve ser preparado por você e mais ninguém". Quando ela quiser partir deve deixá-la ir, com um caloroso pedido de que volte a vê-lo novamente. Essa falsa doença deve continuar por três dias e três noites, depois das quais, quando ela começar a vir vê-lo freqüentemente, o homem manterá com a moça prolongadas conversações, pois, como diz Ghotakamukha, "por mais que o homem ame a mulher, nunca consegue conquistá-la sem muita conversa". Finalmente, quando o homem perceber que a moça está totalmente conquistada, pode então começar a desfrutá-la. Quanto à afirmação de que as mulheres são menos tímidas à noite e no escuro, e sentem desejo de união nessas ocasiões, quando então não resistem ao homem, e portanto só devem ser gozadas nesses instantes, não deve ser tomada a sério.

Quando o homem não pode, sozinho, realizar os seus objetivos, deve através da filha da ama da moça, ou de uma amiga em quem tenha confiança, conseguir um encontro com ela, sem revelar suas intenções, comportando-se então da maneira que descrevemos. Ou deve, no início, mandar a sua própria criada viver com a moça como amiga, e por meio dela conquistá-la.

Finalmente, quando conhece os sentimentos da moça pelas suas manifestações exteriores e seu comportamento em cerimônias religiosas, casamentos, feiras, festas, teatros, reuniões públicas e outras ocasiões semelhantes, o homem deve começar a desfrutá-la quando ela estiver sozinha, pois Vatsyayana afirma que as mulheres, quando abordadas no momento e no lugar adequados, não rejeitam os seus amantes.

Se a moça de boas qualidades e bem-educada, embora de família humilde ou pobre (e portanto desprezada pelas pessoas de seu nível), ou órfã, ou uma jovem privada de seus pais mas cumpridora das regras da sua família e casta, deseja casar-se quando na idade própria, deve procurar conquistar um rapaz forte e de boa aparência, ou uma pessoa que, por fraqueza de espírito, possa desposá-la mesmo sem o consentimento dos pais. Deve fazê-lo por meios que a tornem querida de tal pessoa, bem como estando freqüentemente em contato com ela. A mãe de tal moça deve também promover freqüentes encontros com o homem, por intermédio das amigas da filha e da filha de sua ama.

A própria moça deve tentar ficar a sós com o escolhido em algum lugar tranqüilo, e por vezes oferecer-lhe flores, noz e folhas de bétel, e perfumes. Também deve mostrar ao amado suas habilidades nas artes, na massagem, nos arranhões e apertões com a ajuda das unhas. Deve conversar sobre os assuntos que são da preferência dele, discutindo os meios de conquistar e obter a afeição de uma moça.

Os autores antigos, porém, dizem que, embora a moça tenha pelo homem um grande amor, não se deve oferecer nem dar os primeiros passos, pois se o fizer perde a dignidade e pode ser desprezada e rejeitada. Se, porém, o homem demonstrar o desejo de desfrutá-la, deve mostrar-se acessível e não modificar seu comportamento quando ele a abraçar, recebendo todas as manifestações de amor como se não se desse conta do estado de espírito do homem. Mas, se ele tentar beijá-la, deve resistir; se ele implorar que tenham relações sexuais, só a custo deve deixar que toque suas partes pudendas. E, embora o homem insista, não deve entregar-se a ele como se o desejasse, mas resistir. Só quando ela tiver certeza de ser realmente amada, e estiver segura da dedicação do amante e que seus sentimentos não se modificarão, é que pode entregar-se a ele, e persuadi-lo a desposá-la rapidamente. Depois de perder a virgindade, deve contar o fato aos amigos íntimos.

Terminam aqui os esforços da moça para conquistar o homem.

Há sobre o assunto alguns versículos, que são os seguintes:

"A moça que é muito requestada deve desposar o homem de quem gosta e que, na sua opinião, a ela será obediente, e capaz de proporcionar-lhe prazer. Mas quando, ambicionando fortuna, a moça é casada por seus pais com um homem rico, sem levar em conta o caráter ou aparência do noivo, ou quando é dada a um homem que tem várias esposas, ela não se apaixona nunca por esse homem, mesmo que seja dotado de boas qualidades, seja obediente à sua vontade, seja ativo, forte e saudável e esteja ansioso por lhe ser agradável sob todos os aspectos.[1] O marido que, embora obediente, é dono de si mesmo, apesar de pobre e feio, é melhor do que um marido partilhado por muitas mulheres, por mais belo e atraente que seja. As esposas dos homens ricos, quando estes têm várias, em geral não têm amor aos maridos, neles não depositam confiança e, embora disponham de todas as alegrias externas da vida, ainda assim recorrem a outros homens. Um homem de espírito fraco, que tenha baixado de posição social e que seja muito dado a viagens, não merece ser casado; também não o merece aquele que tem muitas esposas e filhos, ou que é dedicado aos esportes e ao jogo e só procura a mulher quando quer. De todos os amantes de uma jovem, só é verdadeiramente seu marido aquele que tem as qualidades de que ela gosta, e só esse marido tem sobre ela uma verdadeira superioridade, por ser o marido do amor."

---

[1] Há muita verdade nas últimas observações. A mulher é um animal monógamo e ama apenas um homem, e gosta de sentir que é a única nas afeições desse homem, não tolerando rivais. Também podemos considerar como regra geral que a mulher, casada ou mantida por um homem rico, o ama pela sua riqueza, mas não pelo que ele realmente é.

CAPÍTULO V

De certas formas de casamento[1]

Quando a jovem não se pode encontrar freqüentemente, a sós, com seu amante, deve mandar-lhe a filha de sua ama, entendendo-se que nela confia e que já a conquistou para o seu lado. Encontrando-se com o homem, a filha da ama deve, durante a conversa, descrever-lhe a nobreza de nascimento, a docilidade de temperamento, a beleza, o talento, as habilidades, o conhecimento da natureza humana e a afeição da moça, de tal modo que ele não suspeite que fala por delegação, criando dessa maneira um sentimento de afeição pela moça, no coração do homem. Para a jovem, a intermediária deve falar das excelentes qualidades do homem, especialmente daquelas que sabe serem do seu agrado. Deve, além disso, falar depreciativamente de outros enamorados da jovem, comentar a avareza e a indiscrição de seus pais, e a inconstância destes. Deve também mencionar o exemplo de muitas moças da Antigüidade, como Sakuntala e outras, que, unidas a amantes de sua própria casta e escolha, foram felizes para sempre em sua companhia. E deve lembrar também outras jovens que se casaram com homens de grandes famílias e, perseguidas por esposas rivais, foram infelizes e miseráveis, e finalmente abandonadas. Deve falar também da boa sorte,

---

[1] Essas formas de casamento diferem das quatro categorias mencionadas no capítulo I e só devem ser praticadas quando a jovem for conquistada da maneira mencionada nos capítulos II e IV.

da felicidade constante, da castidade, obediência e afeição do homem, e se a jovem por ele se interessar, deve esforçar-se por vencer-lhe a timidez,[2] o medo, bem como as suspeitas de que seu casamento possa resultar num desastre. Ela deve, numa palavra, desempenhar o papel de intermediária, dizendo à moça tudo sobre a afeição que o homem lhe dedica, os lugares por ele freqüentados e as tentativas feitas para encontrá-la, e repetindo com freqüência: "Tudo iria bem se o homem tomasse você inesperadamente, e pela força."

FORMAS DE CASAMENTO

Conquistada a jovem, que passa a comportar-se abertamente com o homem como se sua esposa fosse, ele deve fazer com que tragam fogo da casa de um brâmane e, tendo espalhado a erva *Kusha* pelo chão, feito uma oferenda ao fogo, deve desposá-la de acordo com os preceitos da lei religiosa. Depois disso, deve informar os pais, pois os autores antigos são de opinião que um casamento realizado solenemente na presença do fogo não pode ser desfeito depois.

Após a consumação do casamento, os parentes do homem devem tomar conhecimento, aos poucos, do fato; os parentes da moça também devem ser informados, e de tal maneira que possam concordar com o casamento, perdoando a maneira pela qual se realizou. Feito isso, devem ser conciliados por meio de presentes afetuosos e de um comportamento favorável. Dessa maneira, o homem deve desposar a moça segundo a forma *Gandharva* de casamento.

Se a moça não consegue decidir-se, ou não expressa a sua disposição de casar-se, o homem deve proceder de uma das maneiras seguintes:

Numa ocasião adequada, e usando qualquer pretexto, deve, por intermédio de uma amiga que conheça bem e na qual confie, e que também é bem conhecida da família da moça, trazer esta inesperadamente a sua casa. Em seguida, deve fazer vir o fogo da casa do brâmane e agir como descrevemos antes.

---

[2] Quanto a isso, ver um relato dos efeitos fatais do amor à p.114 de *Early Ideas: a Group of Hindoo Stories*, reunidas e comparadas por Amaryan, W.H. Allen & Co., Londres, 1881.

Quando o casamento da moça com outro homem se aproximar, deve depreciar ao máximo o noivo junto à mãe de sua pretendida e, conseguindo que a moça venha, com o consentimento da mãe, a uma casa vizinha, deve trazer o fogo da casa do brâmane e agir como descrevemos antes.

O homem deve tornar-se grande amigo do irmão da moça, sendo este da mesma idade que ele e inclinado às cortesãs e intrigas amorosas com esposas de outros, e ajudá-lo nessas atividades, oferecendo-lhe também presentes ocasionais. Deve, então, falar-lhe do grande amor que tem por sua irmã, pois os

homens jovens costumam sacrificar até mesmo a própria vida pelos amigos que são da mesma idade, dos mesmos hábitos e disposições que eles. Em seguida, o homem deve fazer com que o rapaz leve a irmã para um lugar seguro e, tendo levado o fogo da casa de um brâmane, deve agir como descrevemos antes.

Por ocasião de uma data festiva, o homem deve fazer com que a filha da ama dê à moça uma beberagem embriagadora, e levá-la então para um lugar seguro a pretexto de qualquer coisa, e, tendo-a desfrutado ali antes que ela se recupere da embriaguez, levar o fogo da casa de um brâmane e agir como descrevemos antes.

O homem deve, com a conivência da filha da ama, raptar a moça de sua casa quando estiver dormindo e, depois de desfrutá-la antes que acorde, deve levar o fogo da casa de um brâmane e agir como descrevemos antes.

Quando a moça for a um jardim, ou alguma aldeia das vizinhanças, o homem deve, com seus amigos, atacar seus guardas e, depois de matá-los ou afugentá-los, raptá-la e agir como descrevemos antes.

Há sobre o assunto alguns versículos, que são os seguintes:

"Em todas as formas de casamento descritas neste capítulo, a precedente é sempre melhor do que a seguinte, por estar mais de acordo com os mandamentos da religião e, portanto, só na impossibilidade de colocar em prática a primeira deve haver recurso à segunda. Como o fruto de todos os bons casamentos é o amor, a forma *Gandharva*[3] de casamento é respeitada, mesmo que se realize em condições desfavoráveis, porque atende aos objetivos visados. Outra razão do respeito pela forma *Gandharva* de casamento é o fato de que ela traz felicidade, sua execução é menos trabalhosa do que outras formas de casamento e é, acima de tudo, resultado de um amor prévio."

---

[3] A respeito dessa forma de casamento, veja-se nota à p.28 da obra do capitão R.F. Burton, *Vickram and the Vampire; or Tales of Hindu Devilry*, Longmans, Green & Co., Londres, 1870. Essa forma de casamento, muito freqüente nas obras literárias, chegou a ser reconhecida pelos antigos hindus. Constitui uma espécie de matrimônio escocês – ultracaledônio – que ocorre pelo consentimento mútuo, sem qualquer formalidade ou cerimônia. Os *Gandharvas* são os menestréis celestes da corte da Indra, e supunha-se que testemunhavam o casamento.

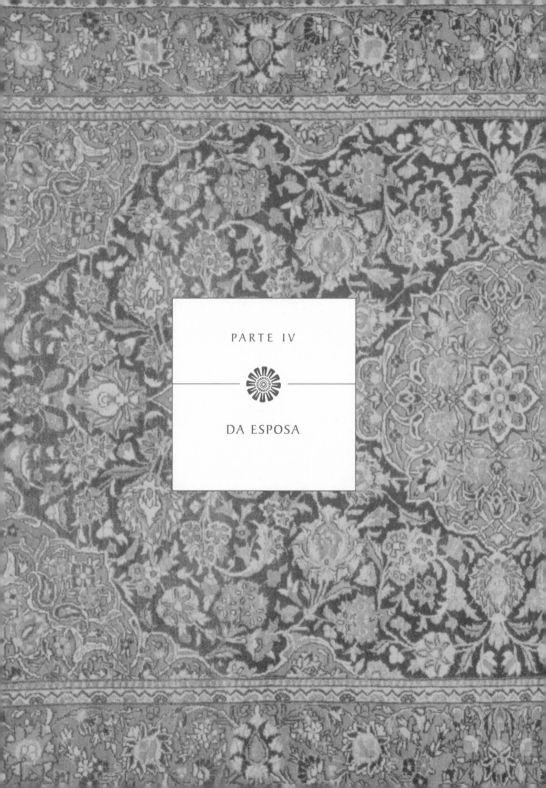

PARTE IV

DA ESPOSA

CAPÍTULO I

Do modo de vida da mulher virtuosa e do seu comportamento na ausência do marido

A mulher virtuosa, que tem afeição pelo marido, deve agir de acordo com os seus desejos, como se ele fosse um ser divino, e com o seu consentimento deve assumir o cuidado da família. Deve manter bem limpa a casa, arrumar flores de diferentes tipos nas várias dependências, deixar o piso liso e polido, de maneira que todo o conjunto tenha uma aparência limpa e agradável. Deve cercar a casa com um jardim, e nele colocar, já preparado, todo o material necessário aos sacrifícios da manhã, do meio-dia e da tarde. Além disso, ela própria deve venerar o santuário dos deuses domésticos, pois, como diz Gonardiya, "nada atrai tanto o coração do dono da casa para sua esposa quanto a observação cuidadosa das coisas acima mencionadas".

Em relação aos pais, parentes, amigos, irmãs e criados do marido, ele terá o comportamento que merecerem. No jardim, deve plantar canteiros de legumes, cana-de-açúcar e figueiras, mostardeiras, salsa, funcho e *xanthochymus pictorius*. Canteiros de várias flores, como a *trapa bispinosa*, o jasmim, o *jasminum grandiflorum*, o amaranto amarelo, o jasmim silvestre, a *tabernamontana coronaria*, a *nadyaworta*, a rosa-da-china, e outras, devem ser igualmente plantadas, juntamente com o capim-cheiroso *andropogon schaenantus* e a raiz aromática da planta *andropogon miricatus*. Deve mandar fazer no jardim bancos e caramanchões e, no meio, um tanque ou lago.

A esposa deve evitar sempre a companhia de mendigas, mendicantes budistas, mulheres devassas e grosseiras, mulheres que lêem a sorte e feiticeiras.

Em relação às refeições, deve ter sempre em conta as coisas de que o marido gosta ou não, e as que lhe fazem mal. Ao ouvir o som de seus passos aproximando-se de casa, deve levantar-se imediatamente e preparar-se para obedecer às ordens que ele tiver a lhe dar; deve mandar ·a criada lavar os pés do homem, ou lavá-los ela própria. Ao ir a qualquer lugar com o marido, deve colocar seus enfeites e não deve aceitar nem fazer convites sem a sua autorização, nem comparecer a casamentos, sacrifícios, sentar-se na companhia de amigas ou visitar os templos dos deuses. Se quiser praticar jogos ou diversões, não o deve fazer contra a vontade do marido. Da mesma forma, deve deitar-se sempre depois dele, e levantar-se antes, e jamais despertá-lo quando dorme. A cozinha deve estar situada num lugar tranqüilo e isolado, de forma a não ser acessível a estranhos, e deve ter sempre a aparência de limpa.

No caso de um comportamento inadequado da parte do marido, ela não deve culpá-lo em excesso, mesmo que esteja um pouco aborrecida. Não deve usar linguagem insultosa para com ele, mas censurá-lo com palavras conciliatórias, seja em companhia de amigos ou sozinho. Além disso, não deve ser rabugenta, pois, como diz Gonardiya, "não há maior motivo de aversão, da parte do marido, do que essa característica numa mulher". Finalmente, deve evitar expressões inconvenientes, olhar amuado, falar à parte, ficar na soleira da porta olhando quem passa, conversar nos parques dos namorados ou permanecer em local solitário por muito tempo. Finalmente, deve manter limpos, bem arejados e perfumados o corpo, os dentes, os cabelos e tudo o que lhe pertence.

Quando a mulher desejar ficar a sós com o marido, sua roupa deve ter muitos ornamentos, vários tipos de flores e ser de um tecido decorado com diferentes cores, e exalará fragrâncias de ungüentos perfumados. Sua roupa caseira, porém, deverá ser constituída de um pano fino, mas não transparente, e um pouco – não muito – de perfume. Deve também observar os jejuns e os votos do marido, e, se este tentar impedi-la, deve persuadi-lo a dar o seu consentimento.

Nas épocas adequadas do ano, e quando esses produtos forem baratos, deve comprar terra, bambus, lenha, peles e potes de ferro, bem como sal e óleo. As substâncias aromáticas, as vasilhas feitas do fruto da planta *wrightea*

antidysenterica, ou as folhas ovais dessa planta, os remédios e outras coisas que são sempre necessárias, deverão ser sempre adquiridos e guardados num lugar secreto da casa. As sementes do rábano, a batata, a beterraba, o absinto indiano, a manga, o pepino, a berinjela, a *kushmanda*, a calabaça, a surana, a *bignomia indica*, o sândalo, a *premna spinosa*, o alho, a cebola e outros vegetais devem ser comprados e cultivados nas estações próprias.

Além disso, a esposa não deve dizer a estranhos o quanto monta a sua fortuna, nem os segredos que lhe foram confiados pelo marido. Deve ser superior a todas as mulheres de seu nível em inteligência, aparência, conhecimento de culinária, orgulho e na maneira de servir o marido. As despesas anuais devem ser proporcionais aos lucros. O leite que restar após as refeições deve ser transformado em manteiga líquida e dura. O azeite e o açúcar devem ser preparados em casa; a fiação e a tecelagem também ali devem ser feitas; haverá sempre uma provisão de cordas e cordéis, bem como de cascas de árvores, destinadas ao fabrico de cordas. Também fiscalizará a trituração e lavagem do arroz, aproveitando para alguma coisa os grãos miúdos e a palha. Deve pagar os ordenados dos criados, fiscalizar o cultivo dos campos e a conservação dos rebanhos e manadas, superintender a construção de veículos e tomar conta dos carneiros, galos, codornizes, papagaios, estorninhos, cucos, pavões, macacos e corças. Finalmente, ajustará a receita e a despesa do dia. As roupas velhas devem ser dadas aos criados que trabalharam bem, como demonstração de que seus serviços foram apreciados, ou podem ser destinadas a qualquer outro uso. As vasilhas onde o vinho é preparado, bem como as usadas para guardá-lo, devem ser examinadas cuidadosamente e separadas no devido momento. Todas as vendas e compras também devem ser fiscalizadas. Deve receber bem os amigos do marido, oferecendo-lhes flores, ungüentos, incenso, folhas e nozes de bétel. Deve tratar o sogro e a sogra com a consideração que merecem, sujeitando-se sempre à vontade deles, sem contrariá-los nunca, falando-lhes em poucas palavras mas gentis, abstendo-se de rir alto em sua presença, e tendo para com seus amigos e inimigos o mesmo comportamento que teria para com seus próprios amigos e inimigos. Além disso, não deve ser vaidosa, nem preocupar-se demais com as diversões. Deve ser liberal para com os criados e recompensá-los nos dias santos e festivos. Também não deve dar nada sem ter antes comunicado ao marido.

Assim termina a maneira de viver da mulher virtuosa.

Durante a ausência do marido por motivo de viagem, a mulher virtuosa deve usar apenas os enfeites que lhe são auspiciosos, e observar o jejum em honra aos deuses. Embora preocupada em ter notícias do marido, deve cuidar da vida doméstica. Deve dormir perto das mulheres mais velhas da casa, e procurar ser agradável a elas. Deve cuidar das coisas que são do agrado do marido, e consertá-las, e continuar os trabalhos por ele iniciados. À casa de parentes não deve ir exceto em ocasiões de comemorações ou luto, e ainda assim com suas roupas normais de viagem, acompanhada dos criados do marido, e não permanecer ali por muito tempo. Os jejuns e as comemorações devem ser observados com o consentimento das pessoas mais velhas da casa. As reservas devem ser aumentadas, fazendo-se as compras e vendas de acordo com a prática dos comerciantes e por intermédio de criados honestos, fiscalizados por ela própria. A renda deve ser aumentada e as despesas reduzidas tanto quanto possível. E, quando o marido voltar da viagem, deve recebê-lo primeiramente com suas roupas comuns, para que ele possa ver a maneira pela qual ela viveu durante sua ausência, e deve dar-lhe muitos presentes, bem como as coisas necessárias ao culto da Divindade.

Aqui termina a parte relativa ao comportamento da esposa durante a ausência de seu marido, em viagem.

Há também alguns versículos sobre esse assunto e que são os seguintes:

"A esposa, quer seja mulher de família nobre ou uma viúva virgem[1] que se casou novamente, ou uma concubina, deve levar vida de castidade, dedicada ao marido, e tudo fazendo para o seu bem-estar. As mulheres que assim procedem adquirem Dharma, Artha e Kama, conseguem alta posição e em geral preservam a dedicação dos maridos."

---

[1] Isso se refere, provavelmente, a uma menina casada na infância, ou ainda muito jovem, e cujo marido morreu antes de ter ela atingido a puberdade. Os casamentos de crianças ainda são costume comum entre os hindus.

CAPÍTULO II

Da conduta da esposa mais velha para com as outras esposas de seu marido, e da conduta da esposa mais jovem para com as mais velhas. E também da conduta de uma viúva virgem que volta a casar-se; da esposa rejeitada pelo marido; das mulheres do harém real; e, finalmente, da conduta do marido para com as diversas esposas

Os homens que já têm esposa voltam a casar-se, geralmente, por uma das seguintes razões:

- Insensatez e mau gênio da esposa
- Aversão que experimenta por ela
- O desejo de ter filhos
- Os nascimentos sucessivos de filhos
- A luxúria do marido

A mulher deve, desde os primeiros dias do casamento, procurar atrair o coração do marido, mostrando-lhe continuadamente a sua dedicação, seu bom gênio e sua prudência. Se não lhe der filhos, ela mesma deve aconselhar o marido a desposar outra mulher. Se isso acontecer, quando a segunda esposa chegar a casa, a primeira deve conceder-lhe uma posição superior à sua e considerá-la como irmã. Pela manhã, a mulher mais velha deve obrigar a mais nova a enfeitar-se para ver o marido, e não se deve importar que este lhe demonstre preferência. Se a esposa mais nova fizer alguma coisa que desagrade ao homem, a mais velha não deve desprezá-la, mas sim mostrar-se sempre pronta a dar-lhe os mais prudentes conselhos, ensinando-a a fazer várias coisas na presença do marido. Deve tratar os filhos da outra como se fossem seus; tratará os criados dela com atenção ainda maior do que os seus próprios criados; dedicará aos amigos da outra amor e bondade e tratará os parentes dela com grande respeito.

Quando houver muitas outras esposas além dela, a mais velha deve ligar-se à que lhe está mais próxima em posição e idade, e instigará a esposa que tenha recentemente gozado da preferência do marido a brigar com a atual favorita. Depois, deve manifestar à primeira a sua solidariedade e, tendo reunido todas as outras esposas, deve fazer com que denunciem a favorita como uma mulher pérfida e intrigante, mas isso sem comprometer-se seja de que modo for. Se a esposa favorita brigar com o marido, a mais velha deve tomar seu partido e dar-lhe um falso apoio, provocando o agravamento da briga. Se o desentendimento entre eles for superficial, a mais velha fará tudo para transformá-lo numa desavença séria. Mas se, apesar de tudo isso, verificar que o marido continua a amar a favorita, deve modificar sua tática e tentar promover a reconciliação, a fim de evitar o descontentamento do marido.

Aqui termina o comportamento da esposa mais velha.

A esposa mais nova deve considerar a mais velha como sua mãe e não oferecer nada, nem mesmo aos seus parentes, sem o seu conhecimento. Deve dizer-lhe tudo a seu próprio respeito e não procurar o marido sem a sua permissão. Tudo o que a esposa mais velha lhe disser não será revelado aos outros, e cuidará dos filhos da outra ainda melhor do que dos seus próprios filhos. Quando estiver a sós com o marido, deve servi-lo bem, mas sem falar no sofrimento que experimenta com a existência de uma esposa rival. Pode, porém, obter secretamente do marido algumas demonstrações do afeto especial que por ela tem, e pode dizer-lhe que vive apenas para ele e pela consideração que tem por ela. Não deverá revelar nunca a outrem o seu amor pelo marido, nem o amor que este lhe dedica, seja num momento de orgulho ou de raiva, pois a mulher que revela os segredos de seu esposo é por ele desprezada. Quanto a tentar obter as atenções do marido, diz Gonardiya que isso deve ser feito sempre em particular, com receio da esposa mais velha. Se o marido antipatizar com esta, ou se ela não tiver filhos, a esposa mais nova será compreensiva para com ela e pedirá ao marido que também o seja; deverá, porém, sobrepujá-la no comportamento de mulher casta.

Assim terminará a conduta da esposa mais nova para com a mais velha.

A uma viúva pobre e fraca que se junta novamente com um homem dá-se o nome de viúva casada em segundas núpcias.

Os seguidores de Babhravya dizem que a viúva virgem não deve casar-se com uma pessoa que possa ter de abandonar por causa do seu mau gênio, ou da carência das qualidades excelentes do homem, o que a obrigaria a recorrer a outra pessoa. Gonardiya é de opinião que a viúva se casa novamente pelo desejo de ser feliz, e como a felicidade é proporcionada pela existência de

qualidades excelentes no marido, juntamente com o amor ao prazer, será melhor procurar uma pessoa dotada dessas qualidades. Vatsyayana, porém, acha que a viúva pode casar-se com qualquer pessoa de quem goste e que lhe pareça ser adequada.

Na ocasião do casamento, a viúva deve pedir ao noivo o dinheiro para as festas com bebidas e os piqueniques com seus parentes, e para os presentes afetuosos que lhes deve dar, e aos seus amigos. Se preferir, porém, poderá pagá-los com seu próprio dinheiro. Pode, igualmente, usar seus próprios adornos, ou os do marido. Quanto aos presentes afetuosos trocados entre o marido e ela, não há regras fixas. Se, depois de casada, abandonar voluntariamente o marido, deve devolver-lhe tudo o que tiver ganho dele, com exceção dos presentes trocados. Se, porém, ela for expulsa de casa, não deve devolver nada ao marido.

Depois do casamento, viverá na casa de seu marido como um dos principais membros da família, mas tratará as outras pessoas do sexo feminino com bondade, os criados com generosidade e todos os amigos da casa com familiaridade e cordialidade. Mostrará que conhece as 64 artes melhor do que as outras mulheres da casa e em qualquer disputa com o marido não o criticará com rigor e em particular fará tudo o que ele desejar, utilizando as 64 maneiras de gozo. Será atenciosa para com as outras esposas do marido e dará presentes aos filhos das outras, comportando-se como se fosse sua preceptora e fazendo enfeites e brinquedos para eles. Confiará mais nos criados e amigos do marido do que nas outras esposas e, finalmente, deverá ter prazer em participar de festas, piqueniques, feiras e festivais e em entregar-se a toda espécie de jogos e divertimentos.

Assim termina a conduta de uma viúva virgem que se casa novamente.

A mulher rejeitada pelo marido e importunada e maltratada pelas outras esposas deve ligar-se à preferida pelo homem e que o serve mais que as outras, e ensinar-lhe todas as artes em que é versada. Deve agir como ama para os filhos do marido e, tendo conquistado para o seu lado os amigos deste, fará chegar ao seu conhecimento, através desses amigos, a sua dedicação. Deve tomar a iniciativa das cerimônias religiosas, e também dos votos e jejuns, mas não terá sobre si mesma uma opinião demasiado lisonjeira. Quando o marido estiver deitado na cama, só deverá ir para junto dele se isso lhe for agradável e nunca deverá censurá-lo, ou mostrar qualquer forma de teimosia. Se o marido discutir com qualquer das outras esposas, deverá reconciliá-los; se quiser encontrar-se secretamente com outra mulher, ela deve promover o encontro. Deverá, além disso, conhecer os pontos fracos do caráter do marido, mantendo-os porém sempre em segredo, e comportar-se em geral sempre de tal maneira que ele a considere uma esposa boa e dedicada.

Assim termina a conduta de uma esposa desprezada pelo marido.

Pelo que foi dito acima pode-se ver como devem comportar-se todas as mulheres do harém real, e por isso falaremos agora apenas do rei.

As servidoras do harém (chamadas de Kanchukiyas[1], Mahallarikas[2], e Mahallikas[3]) devem levar ao rei as flores, ungüentos e roupas enviados pelas suas esposas. Ao receber tais oferendas, o rei as presenteará aos criados, juntamente com as coisas que usou na véspera. À tarde, depois de vestido e ornamentado, o rei conversará com as mulheres do harém, também vestidas e enfeitadas com jóias. Depois de atribuir-lhes seus lugares e prestar-lhes as homenagens condizentes com a ocasião, e de que sejam merecedoras, com elas se entretenirá alegremente. Depois visitará suas esposas que sejam viúvas virgens e, em seguida, as concubinas e as dançarinas. Todas elas serão procuradas em seus aposentos privados.

Quando o rei acordar da sesta, a criada cuja missão é levar-lhe a mulher daquela noite, virá acompanhada das aias da esposa a quem normalmente

---

[1] Nome dado às criadas do zenana real antigamente, porque mantinham sempre os seios cobertos com um pano chamado *Kanchuki*. Era costume, naquela época, que as criadas cobrissem os seios, enquanto as rainhas os mantinham desnudos. Esse costume pode ser claramente percebido nas pinturas das grutas de Ajunta.

[2] O significado desta palavra é mulher superior e parece por isso que ela deveria ter autoridade sobre as criadas.

[3] Também esta pertencia à classe das mulheres empregadas no harém. Em épocas mais recentes, foram substituídas pelos eunucos.

caberia esse dever, da esposa cuja vez possa ter sido acidentalmente esquecida, e da esposa que não se sentisse bem quando da sua vez. As aias colocarão à frente do rei os ungüentos por elas mandados, marcados com o selo de .seus anéis e com os seus nomes, e dirão as razões da oferenda. O rei escolherá então um dos ungüentos, e à mulher que o preparou caberá passar com ele a noite.[4]

Nas festas, serões musicais e exposições, todas as esposas do rei devem ser tratadas com respeito e servidas de bebidas.

As mulheres do harém, porém, não podem sair sozinhas, e no harém só podem entrar as mulheres de fora cujo caráter seja bem conhecido. E, finalmente, o trabalho a ser feito pelas esposas do rei não deve ser cansativo.

Assim termina o comportamento do rei para com as mulheres do harém, e o comportamento destas.

O homem que tem muitas esposas deve proceder com justiça para com todas elas. Não será indiferente nem demasiado indulgente para com seus erros, nem revelará às outras o amor, a paixão, as imperfeições físicas nem as censuras confidenciais de uma de suas esposas. A nenhuma delas dará ocasião de falar de suas rivais, e àquela que o tentar repreenderá, dizendo-lhe que sofre dos mesmos defeitos de caráter. A uma de suas esposas agradará com confidências secretas, a outra mostrando-lhe respeito em segredo, a uma terceira lisonjeando-a quando a sós, e a todas agradará com passeios pelos jardins, distrações, presentes, respeitando seus parentes, contando-lhes segredos e, finalmente, com uniões amorosas. Uma jovem de bom gênio e que se comporte de acordo com os preceitos da Sagrada Escritura conquista o afeto do marido e a superioridade sobre as rivais.

Assim termina a conduta do marido com as suas várias esposas.

---

[4] Como os reis costumavam ter muitas esposas, era seu hábito fixar dias certos para cada uma delas. Acontecia, porém, que algumas delas perdiam a vez, seja em razão de estar o rei ausente, seja em conseqüência de indisposições. Nesse caso, a esposa a quem cabia a vez, e aquela cuja vez havia sido perdida, cosumavam recorrer a uma espécie de loteria: mandavam ungüentos ao rei, que, ao escolher um, decidia a questão.

PARTE V

DAS ESPOSAS
DOS OUTROS

CAPÍTULO I

Das características dos homens e das mulheres.
As razões pelas quais as mulheres rejeitam a corte
dos homens, dos homens bem-sucedidos com as mulheres
e das mulheres fáceis de consquistar

Às esposas dos outros só se deve recorrer nas ocasiões descritas na Parte I, capítulo V; antes, porém, deve-se examinar a possibilidade de sua conquista, a sua aptidão para a coabitação e o perigo que podemos correr com a sua união, bem como os futuros efeitos desta. Um homem pode recorrer à esposa de outro com o objetivo de salvar sua própria vida, quando perceber que seu amor por ela está subindo em graus de intensidade. Esses graus são dez e caracterizam-se pelos indícios seguintes:

- Prazer de vê-la
- Atração espiritual
- Lembrança constante
- Perda do sono
- Enfraquecimento do corpo
- Indiferença pelas diversões
- Perda de pudor
- Loucura
- Desfalecimento
- Morte

Autores antigos dizem que o homem deve conhecer a índole, a sinceridade, a pureza e a vontade de uma jovem, bem como a intensidade ou a fraqueza de suas paixões, pela forma de seu corpo e pelas marcas e sinais característicos. Vatsyayana, porém, é de opinião que as formas dos corpos, e as marcas ou sinais característicos são indícios enganosos do caráter e que a mulher deve ser julgada por sua conduta, pela expressão de seus pensamentos e pelo movimento de seu corpo.

Gonikaputra diz que, como regra geral, a mulher se apaixona por qualquer homem bonito que vê, o mesmo acontecendo com qualquer homem ao ver uma bela mulher. Freqüentemente, porém, não vão além disso, por diversos motivos. As circunstâncias seguintes são peculiares às mulheres, no amor. Ela ama sem pensar se isso é certo ou errado,[1] e não tenta conquistar o homem apenas para a satisfação de um objetivo específico. Além disso, quando o homem procura aproximar-se, ela naturalmente se retrai, mesmo quando deseja unir-se com ele. Mas quando as tentativas de aproximação se repetem e se renovam, ela finalmente consente. O homem, porém, mesmo que se tenha enamorado, sujeita seus sentimentos a considerações de moral e prudência, e, embora seus pensamentos se voltem sempre para a mulher, não cede nem mesmo entre as tentativas de conquistá-lo feitas por ela. Esforça-se, em algumas circunstâncias, para conquistar o objeto de suas afeições e, se falha, deixa-o em paz no futuro. Da mesma forma, quando a mulher é conquistada, o homem muitas vezes se torna indiferente a ela. Quanto à

---

[1] *On peut tout attendre et tout supposer d'une femme amoureuse* (Tudo se pode esperar e supor de uma mulher apaixonada). (Balzac.)

afirmação de que o homem não dá valor ao que consegue facilmente, desejando apenas aquilo que não pode obter sem dificuldades, não tem fundamento.

As razões pelas quais a mulher rejeita a corte de um homem são:

- Afeição pelo marido
- Desejo de filhos legítimos
- Falta de oportunidade
- Irritação por ser abordada com demasiada familiaridade
- Diferenças sociais
- Insegurança decorrente do amor às viagens pelo homem
- Suposição de que o homem possa gostar de outra
- Receio de que o homem seja indiscreto
- Suposição de que o homem é dedicado demais aos amigos e que os tem em grande consideração
- Receio de que não seja sincero
- Timidez por ser ele uma pessoa ilustre
- Medo pelo fato de ser ele poderoso, ou demasiado impetuoso, como no caso da mulher corça
- Timidez por ser ele muito inteligente
- A lembrança de ter mantido com ele apenas relações de amizade
- Desprezo pela sua falta de conhecimentos mundanos
- Desconfiança pelo seu baixo caráter
- Desgosto pela sua insensibilidade ao amor que lhe dedica
- No caso da mulher elefanta, a desconfiança de ser ele um homem lebre, ou de paixão fraca
- Receio de que possa acontecer alguma coisa ao homem por causa da sua paixão
- Desespero pelas suas próprias imperfeições
- Medo de ser descoberta
- Desilusão por ver-lhe o cabelo grisalho ou a aparência desagradável
- Medo de que ele esteja sendo usado pelo marido para pôr à prova sua castidade
- A suposição de que ele tenha escrúpulos morais excessivos

Quaisquer que sejam as causas percebidas, o homem deve procurar eliminá-las desde o princípio. Assim, a timidez provocada pela sua condição ilustre ou sua inteligência pode ser superada se ele demonstrar grande amor e afeição pela mulher. A dificuldade resultante da falta de oportunidade, ou de sua inacessibilidade, pode ser eliminada mostrando à mulher uma via de acesso fácil. O respeito excessivo da mulher desaparecerá, se o homem se familiarizar com ela. As dificuldades provocadas pelo fato de ser considerado como de caráter baixo desaparecerão se ela mostrar coragem e sabedoria; à acusação de negligência oporá redobradas atenções e ao temor que domina a mulher responderá com palavras encorajadoras.

São os seguintes os homens que geralmente têm sucesso com as mulheres:

- Os versados na ciência do amor
- Os que sabem contar histórias
- Os familiarizados com as mulheres desde a infância
- Os que lhes conquistaram a confiança
- Os que lhes mandam presentes
- Os que falam bem
- Os que satisfazem suas vontades
- Os que não amaram outras mulheres
- Os que servem de intermediários
- Os que lhes conhecem os pontos fracos
- Os que são desejados pelas mulheres de bem
- Os relacionados com as suas amigas
- Os que têm boa aparência
- Os que foram criados com elas
- Os vizinhos
- Os dedicados aos prazeres sexuais, mesmo que sejam seus criados
- Os amantes das filhas de sua ama
- Os recém-casados

- Os que gostam de piqueniques e festas
- Os liberais
- Os que são famosos pela sua força (homens touros)
- Os empreendedores e corajosos
- Os que são superiores aos seus maridos em conhecimento, aparência, boas qualidades e liberalidade
- Os que se vestem bem e vivem no luxo

São as seguintes as mulheres fáceis de conquistar:

- As que ficam na porta de suas casas
- As que estão sempre olhando para a rua
- As que ficam conversando na casa da vizinha
- A que nos está sempre olhando
- As intermediárias
- A que olha de lado
- Aquela cujo marido tomou outra esposa sem justa causa
- A que odeia o marido ou é por ele odiada
- A que não tem quem se interesse por ela, ou que a controle
- A que não teve filhos
- Aquela cuja família ou casta não é bem conhecida
- Aquela cujos filhos morreram
- A que gosta muito de viver em sociedade
- A que é aparentemente muito dedicada ao marido
- A esposa de um ator
- A viúva
- A mulher pobre
- A que gosta de diversões
- A esposa com muitos cunhados jovens
- A fútil
- A mulher cujo marido lhe é inferior em posição social ou em qualidades

- A que se orgulha de sua habilidade nas artes
- A que se perturba com a idiotice do marido
- A que foi casada ainda criança com um homem rico e, sentindo aversão por ele ao crescer, ambiciona um homem com disposição, talentos e sabedoria compatíveis com os seus próprios gostos
- A que é desprezada pelo marido sem justa causa
- A que não é respeitada pelas outras da mesma posição ou da mesma beleza que ela
- Aquela cujo marido gosta de viajar
- A esposa de um joalheiro
- As ciumentas
- As ambiciosas
- As imorais
- As estéreis
- As preguiçosas
- As covardes
- As corcundas
- As baixinhas
- As aleijadas
- As vulgares
- As que cheiram mal
- A doente
- A velha

Também sobre esse assunto há os seguintes versículos:

"O desejo, que nasce da natureza, e é alimentado pela arte, e do qual se afasta todo o perigo com a prudência, torna-se firme e seguro. O homem inteligente, confiante em suas qualidades e observando cuidadosamente as idéias e pensamentos das mulheres, eliminando as causas que as afastam dos homens, em geral consegue êxito com elas."

CAPÍTULO II

Da maneira de travar relações com a mulher e dos esforços para conquistá-la

Autores antigos são de opinião que as jovens são conquistadas mais facilmente pelos esforços diretos do próprio homem do que pela intermediação de mensageiras, embora as esposas dos outros sejam seduzidas com mais facilidade através dessas intermediárias do que pelos esforços pessoais do homem. Vatsyayana, porém, diz que sempre que possível o homem deve agir diretamente, e·só quando isso for impraticável ou impossível deve empregar mensageiras. Quanto à afirmação de que as mulheres que agem e falam de maneira ousada e livre são conquistáveis pelos esforços pessoais do homem, e que as que não evidenciam tais qualidades devem ser seduzidas por intermediárias, não é válida.

Quando o homem age diretamente, deve primeiro travar conhecimento com a mulher amada, da maneira seguinte:

Deve fazer-se visto pela mulher, seja numa ocasião normal, ou numa ocasião especial. A ocasião normal ocorre quando um deles vai à casa do outro, e a especial quando se encontram na casa de um amigo, de pessoa da mesma casta, ou de um ministro, ou do médico, bem como na realização de cerimônias de casamento, sacrifícios, festivais, funerais e festas.

Ao se conhecerem, o homem deve olhá-la de tal modo que ela perceba seus sentimentos; deve cofiar o bigode, produzir sons com as unhas, fazer tinir seus próprios ornamentos, morder o lábio inferior e dar várias outras demonstrações semelhantes. Quando ela estiver olhando para ele, deve falar aos amigos sobre ela e sobre outras mulheres, mostrando-lhe sua liberalidade e sua apreciação dos prazeres. Ao sentar-se ao lado de uma amiga, deve bocejar e contorcer-se, franzir as sobrancelhas, falar muito lentamente como se estivesse cansado e ouvi-la com indiferença. Também deve manter uma conversa de duplo sentido com uma criança ou alguma outra pessoa, aparentemente em relação a um terceiro mas na realidade sobre a mulher que ama, e dessa maneira tornará conhecido dela o seu amor sob o pretexto de referir-se a outras. Deve fazer sinais na terra com as unhas ou com uma bengala que se relacionem com ela, abraçar e beijar uma criança na sua presença, dar-lhe com a língua uma mistura de nozes e folhas de bétel, afagando-lhe o queixo. Tudo isso deve ser feito na ocasião e no lugar oportunos.

O homem pode acariciar uma criança que esteja sentada no colo da jovem e dar-lhe alguma coisa para brincar, reavendo-a depois. Pode também manter com a jovem uma conversa sobre a criança, levando-a a familiarizar-se com ele aos poucos e procurando ser também agradável aos parentes dela. Posteriormente, esse conhecimento servirá de pretexto para visitar-lhe a casa com freqüência, quando falará de assuntos de amor em sua ausência, mas de maneira que ela possa ouvir. Com o aumento da intimidade entre os dois, deve confiar-lhe alguma coisa a guardar, da qual irá retirando partes, aos poucos; ou poderá oferecer-lhe substâncias aromáticas, nozes de bétel, para guardar. Procurará, mais tarde, fazer com que ela estabeleça relações com sua própria esposa, mantenham conversas íntimas e se entretenham em lugares solitários. Para vê-la com freqüência, deve fazer com que o mesmo ourives, o mesmo joalheiro, o mesmo fabricante de cestos e o mesmo tintureiro sejam utilizados pelas duas famílias. Deve também fazer-lhe longas visitas sob o pretexto de tratar de algum assunto, e um assunto levará a outro, mantendo a ligação entre ambos. Sempre que ela quiser alguma coisa, ou precisar de dinheiro, ou quiser aprender uma das artes, deve deixar-lhe claro que está disposto e pode fazer qualquer coisa desejada por ela, dar-lhe dinheiro ou ensinar-lhe uma das artes, estando tudo isso ao seu alcance e dentro de seu poder. Da mesma forma, deve conversar com ela na companhia de outras pessoas, e devem comentar juntos os atos e palavras de terceiros, bem como examinar diferentes coisas, como jóias, pedras preciosas etc. Nessas ocasiões, ele deve mostrar-lhe coisas cujo valor ela desconheça, e, se ela colocar em dúvida suas afirmações, deverá abster-se de discutir, mostrando-se disposto a concordar sempre.

Assim terminam as maneiras de travar conhecimento com a mulher desejada.

Estabelecidas as relações com a jovem, tal como acima se descreve, e evidenciado, por várias indicações exteriores e por gestos, o amor que ela dedica ao homem, este deve esforçar-se por obter seus favores. Mas, como as moças não estão familiarizadas com a união sexual, devem ser tratadas com grande delicadeza, devendo o homem proceder cautelosamente, embora isso não seja necessário no caso de outras mulheres habituadas às relações sexuais. Quando forem conhecidas as intenções da jovem, e vencida a sua timidez, o homem deve começar

a utilizar o dinheiro dela e iniciar um intercâmbio de roupas, anéis e flores. Deve ter o cuidado de lhe dar coisas bonitas e valiosas. Deve, além disso, receber dela uma mistura de nozes e folhas de bétel, e se for a uma festa deve pedir a flor que está em seu cabelo ou em suas mãos. Se lhe der uma flor, deve ser cheirosa e ter marcas de seus dentes ou de unhas. Com assiduidade crescente, dissipará seus receios

e aos poucos fará com que ela o acompanhe a um lugar solitário, onde a abraçará e beijará. E, finalmente, no momento de dar-lhe nozes de bétel, ou recebê-las da moça, ou no momento de trocarem flores, deve tocar e acariciar suas partes íntimas, levando assim seus esforços a uma conclusão satisfatória.

Quando o homem está tentando seduzir uma mulher não deve tentar o mesmo com outra, simultaneamente. Mas, depois que tiver conseguido êxito com a primeira, e a tiver desfrutado durante algum tempo, pode manter sua afeição dando-lhe os presentes de que ela gosta, e iniciar então a conquista de outra mulher. Quando souber que o marido de uma mulher vai a um local próximo de sua própria casa, não deve desfrutá-la, embora isso possa ser fácil naquela oportunidade. O homem prudente, que se preocupa com a sua reputação, não deve pensar em seduzir uma mulher apreensiva, tímida, indigna de confiança, bem guardada ou que tenha um sogro ou uma sogra.

CAPÍTULO III

Exame do estado de espírito de uma mulher

Ao tentar conquistar uma mulher, o homem deve examinar-lhe o estado de espírito, e agir da seguinte maneira:

Se ela lhe der ouvidos, mas sem indicar-lhe de alguma forma as suas intenções, o homem deve tentar conquistá-la recorrendo a um intermediário.

Se tiverem um encontro, e no encontro seguinte ela vier ainda melhor vestida, ou for ao seu encontro num lugar solitário, o homem pode ter certeza de que ela é capaz de ser desfrutada com pouco esforço. A mulher que deixa o homem lhe fazer propostas mas não se entrega, mesmo depois de longo tempo, deve ser considerada como frívola; porém, em razão da instabilidade do espírito humano, até mesmo essa mulher pode ser conquistada se for mantido com ela um relacionamento constante.

Quando a mulher evita as atenções do homem, por lhe ter respeito e ser orgulhosa, recusando-se a encontrá-lo ou a aproximar-se dele, pode ser conquistada com dificuldade, seja pelas tentativas do homem de manter o seu conhecimento, seja por meio de uma medianeira muito esperta.

Quando o homem faz propostas à mulher e é por ela censurado em palavras ásperas, deve ser abandonada imediatamente.

Quando a mulher censura o homem mas ao mesmo tempo lhe demonstra afeição, deve ser desfrutada de todas as maneiras.

A mulher que tem encontro com um homem em locais solitários e tolera que ele lhe pressione o pé, fingindo, por causa da sua indecisão, não dar-se conta disso, deve ser conquistada pela paciência e por esforços constantes, como segue:

Se ela for dormir perto do homem, este deve envolvê-la com o braço esquerdo e observar, quando ela acordar, se realmente o afasta, ou se o faz de maneira a sugerir que gostaria de ver repetido o abraço. E o que é feito pelo braço também pode ser feito pela perna. Se o homem tiver êxito nessa tentativa, deve abraçá-la com mais força, e, se a moça não o tolerar, levantando-se, mas comportando-se com ele normalmente no dia seguinte, deve concluir que ela não está disposta a deixar-se desfrutar por ele. Se, porém, ela não aparecer novamente, o homem deve tentar uma reaproximação através de uma intermediária; e se, depois de ter desaparecido durante algum tempo, ela reaparece, comportando-se com ele da maneira habitual, o homem deve concluir que a jovem não fará objeções a unir-se com ele.

Quando a mulher dá uma oportunidade ao homem e lhe demonstra seu amor, ele deve desfrutá-la. E os indícios pelos quais a mulher demonstra seu amor são os seguintes:

- Dirige-se ao homem sem que este lhe fale antes.
- Mostra-se a ele em lugares secretos.
- Fala com ele tremendo e articulando mal as palavras.
- Tem os dedos das mãos e dos pés úmidos de suor, e o rosto radiante de prazer.
- Dedica-se a massagear-lhe o corpo e a acariciar-lhe a cabeça.

Ao massageá-lo, trabalha apenas com uma das mãos, e com a outra afaga e abraça partes do seu corpo.

Fica com as duas mãos sobre o seu corpo, imóvel, como se houvesse sido surpreendida por alguma coisa, ou vencida pelo cansaço.

Inclina por vezes a cabeça sobre as coxas do homem e, quando este lhe pede que as massageie não revela nenhuma aversão a isso.

Deixa uma das mãos imóvel sobre o corpo do homem e, embora ele a pressione com dois de seus membros, não a retira imediatamente, deixando-a ficar por muito tempo.

Finalmente, quando resistiu a todos os esforços do homem para conquistá-la, a jovem volta no dia seguinte para massageá-lo como antes.

Quando a mulher não estimula o homem, mas também não o evita, escondendo-se e permanecendo em algum lugar isolado, pode ser alcançada por meio da criada que possa estar com ela. Se, procurada pelo homem, age da mesma forma, deve então ser seduzida com a cooperação de uma medianeira habilidosa. Mas, se nada tiver a dizer ao homem, ele deve refletir bastante a seu respeito, antes de qualquer tentativa nova de conquistá-la.

Assim termina o exame do estado de espírito da mulher.

O homem deve fazer-se apresentar à mulher, antes de conversar com ela. Deve sugerir-lhe, por insinuações, o amor que lhe dedica e, se perceber pelas suas respostas que tal amor é bem recebido, deve iniciar a sua conquista sem nenhum receio. A mulher que, na primeira entrevista com o homem, demonstra seu amor por sinais exteriores, pode ser facilmente conquistada. Da mesma forma, a mulher que responde abertamente com palavras denotativas de seu amor às palavras amorosas do homem deve ser considerada como conquistada naquele momento. Em relação a todas as mulheres, sejam prudentes, simples ou confiantes, estabelece-se a regra de que as que manifestam abertamente seu amor são facilmente conquistáveis.

CAPÍTULO IV

Das funções da intermediária

Se a mulher, depois de manifestar seu amor ou desejo — seja por indícios ou gestos —, deixa de ser vista em qualquer lugar ou raramente aparece, ou se é encontrada, pela primeira vez, o homem deve recorrer a uma intermediária para facilitar a aproximação com ela.

A intermediária, depois de conquistar a confiança da mulher mostrando-se dócil às suas disposições, deve fazer com que ela passe a odiar ou desprezar o marido, mantendo com ela conversações ardilosas, falando-lhe de remédios para conceber, de outras pessoas, contando-lhe vários tipos de histórias inclusive sobre as mulheres de outros homens, e elogiando-lhe a beleza, prudência, generosidade e boa índole. Depois disso, deve dizer-lhe: "É uma pena que você, uma mulher excelente sob todos os aspectos, tenha em marido como esse. Bela senhora, ele não é nem mesmo digno de servi-la." Deverá falar ainda da fraqueza da paixão do marido, de seu ciúme, sua grosseria, sua ingratidão, sua aversão às distrações, sua insipidez, sua mesquinharia e todos os outros defeitos que possa ter, e dos quais já tenha tomado conhecimento. Deve insistir particularmente nos defeitos que mais desagradam à esposa. Se esta for uma mulher corça, e o marido um homem lebre, não haverá incompatibilidade sob esse aspecto. Mas se ele for um homem lebre e ela uma mulher égua ou elefanta, então essa desproporção lhe deverá ser ressaltada.

Gonikaputra é de opinião que, quando se trata do primeiro caso da mulher, ou quando seu amor só se mostrou muito recentemente, o homem deve enviar como intermediária uma pessoa que ela já conheça e em quem possa ter confiança.

Mas voltemos ao nosso assunto. A intermediária deve falar à mulher da obediência e do amor do homem e, se sua confiança e amor se intensificarem, deve então explicar-lhe o que fazer, da seguinte maneira: "Ouça, minha bela senhora. Esse homem, de boa família, ficou louco ao ver você. O pobre rapaz, que é de natureza meiga, nunca sofreu tanto, sendo muito provável que venha a sucumbir de tanta dor." Se a mulher ouvir com simpatia, no dia seguinte a intermediária, tendo observado indícios favoráveis em sua expressão, em seus olhos e no seu modo de falar, deve mencionar novamente o assunto do homem, contar-lhe as histórias de Ahalya[1] e Indra, de Sacuntala[2] e de Dushyanti, e outras que forem adequadas à ocasião. Deve descrever-lhe também a força do homem, seu talento, sua habilidade nas 64 formas de prazer mencionadas por Babhravya, sua boa aparência e sua ligação com alguma mulher digna de nota, mesmo que isso jamais tenha acontecido.

A intermediária deve ainda observar cuidadosamente o comportamento da mulher que, se favorável, será o seguinte: ela lhe falará com um olhar sorridente, se sentará perto dela e lhe perguntará: "Por onde andou você? O que esteve fazendo? Onde jantou? Onde dormiu? Onde passou o tempo?" Além disso, a mulher se encontrará com a intermediária em locais isolados e ali lhe contará histórias, bocejará pensativamente, dará profundos suspiros, lhe oferecerá presentes, dela se recordará nas datas festivas, a mandará embora expressando o desejo de não a ver nunca mais, e lhe dirá, brincando: "Ó mulher bem-falante, por que me dizes essas palavras más?". Mencionará o pecado que seria sua união com esse homem, não falará de visitas ou conversas que possam ter ocorrido

---

[1] Esposa do sábio Gautama, que foi seduzida por Indra, rei dos Deuses.

[2] Heroína de uma das melhores, talvez a melhor, peças hindus e a mais conhecida na literatura dramática em sânscrito. Foi mencionada pela primeira vez por *sir* William Jones, tendo sido bem traduzida, de maneira poética, pelo Dr. Monier Williams, sob o título de "*Sacuntala, ou O Anel Perdido*, drama indiano traduzido em prosa e verso do sânscrito de Kalidasa".

entre eles, mas dará mostras de que gostaria que lhe fossem feitas perguntas e, finalmente, zombará do desejo dele, mas não o censurará de maneira alguma. Assim termina o comportamento da mulher com a intermediária.

Quando a mulher evidenciar seu amor da maneira acima descrita, a intermediária deve aumentá-lo ainda mais, levando-lhe prendas de amor enviadas pelo homem. Mas, se a mulher não conhecer pessoalmente esse homem, a intermediária deverá convencê-la, ressaltando e louvando suas boas qualidades, e falando do amor que ele sente pela moça. Quanto a isso Auddalaka diz que, quando o homem ou a mulher não se conhecem pessoalmente e não se demonstraram quaisquer sinais de afeição, o recorrer à intermediária é inútil.

Os seguidores de Babhravya, por outro lado, afirmam que, mesmo sem se conhecerem pessoalmente, se os namorados se tiverem evidenciado indícios de interesse é aconselhável recorrer à medianeira. Gonikaputra afirma que a intermediária deve ser empregada se o homem e a mulher se conhecerem, embora nenhum indício de afeição tenha sido manifestado. Vatsyayana, porém, acha que, mesmo sem se conhecerem, e mesmo sem haver demonstrações de interesse, ainda assim ambos são capazes de confiar numa intermediária.

A intermediária deve mostrar à mulher os presentes, como nozes e folhas de bétel, flores, anéis que o homem lhe possa ter dado em razão da mulher, e esses presentes devem trazer as marcas dos dentes, das unhas do homem e outros sinais. No tecido que ele lhe enviar, deve desenhar com açafrão as suas duas mãos postas, como que em súplica ardente.

A intermediária também deve mostrar à mulher as figuras ornamentais de vários tipos cortadas em folhas, juntamente com brincos, e grinaldas de flores contendo cartas de amor que falam do desejo do homem,[3] insistindo com ela para que, em troca, também mande ao homem presentes afetuosos. Depois de mutuamente aceitos os presentes, deve ser promovido, pela intermediária, um encontro entre eles.

Os seguidores de Babhravya dizem que esse encontro deve ocorrer durante a ida ao templo de uma divindade, ou por ocasião das feiras, festas, representações teatrais, casamentos, sacrifícios, festivais e funerais, bem como também por ocasião do banho no rio, ou em épocas de calamidades naturais,[4] medo de ladrões ou invasões hostis do país.

Gonikaputra, porém, é de opinião que esses encontros se realizariam melhor na residência de amigas, mendigas, astrólogas ou ascetas. Mas Vatsyayana acha que só são adequados para tais encontros os lugares que têm meios adequados de entrar e sair, e onde foram tomadas medidas para impedir qualquer acidente, e onde o homem, depois de entrar na casa, também pode deixá-la no momento conveniente, sem qualquer encontro desagradável.

As intermediárias ou medianeiras são dos seguintes tipos:

• A intermediária que assume toda a responsabilidade do caso
• A intermediária que realiza apenas parte da tarefa
• A intermediária que é apenas portadora de uma carta
• A intermediária que age por conta própria
• A intermediária de uma jovem inocente
• A esposa que serve de intermediária
• A intermediária muda
• A intermediária que desempenha o papel do vento

A mulher que, tendo observado a paixão mútua de um homem e uma mulher, aproxima-os e estimula esse amor servindo-se de suas faculdades intelectuais, é

---

[3] Presume-se que isso possa significar mais ou menos o que significam os seguintes versos:
Depois de prometeres a mais profunda devoção,
Queres, infiel, que mudemos nossa combinação;
Só tu cativas meu espírito e meu coração
Que em teus braços eu possa saborear a satisfação:
Gostaria, mas em vão, que meu coração delirante
Adormecesse no lugar que este papel não ousa dizer onde.
Com cuidado, desses versos lê suas primeiras palavras,
Terás então o remédio para todos os seus males.

Ou estes:
Quando és vista, és amada;
Quando és amada, será que és vista?
[4] Supõe-se que isso seja uma alusão às tempestades, terremotos, períodos de escassez e pestes.

chamada de intermediária que assume toda a responsabilidade. Ela é empregada principalmente quando o homem e a mulher já se conhecem e já mantiveram uma conversação. Nesses casos, ela é enviada não só pelo homem (como acontece sempre em todos os outros casos), mas também pela mulher. O nome acima também é dado à intermediária que, percebendo que o homem e a mulher são feitos um para o outro, procura aproximá-los mesmo quando eles não se conhecem.

A intermediária que, percebendo já estar realizada parte de sua tarefa, ou que o homem já fez a sua abordagem, completa o resto do trabalho, é chamada de intermediária que realiza apenas parte da tarefa.

A intermediária que simplesmente leva mensagens entre o homem e a mulher que se amam, mas não se podem encontrar com freqüência, é chamada de portadora de cartas ou mensagens.

Esse nome também é dado àquela que é enviada por um dos amantes para informar o outro da hora e lugar do encontro.

A mulher que procura um homem para dizer-lhe que manteve relações sexuais com ele em sonho e expressa sua irritação com a esposa desse homem por ter esta censurado o marido quando ele, por engano, a chamou pelo nome da outra, e lhe dá alguma coisa com a marca de seus dentes e unhas, e lhe diz saber ter sido por ele desejada e lhe pergunta em particular quem é mais bonita, se ela ou a sua esposa, essa mulher é chamada de intermediária que age por sua própria conta. Tal mulher deve ser recebida pelo homem em privado, secretamente.

O nome acima é dado também à mulher que, tendo feito um acordo com alguma outra mulher para agir como sua intermediária, conquista o homem para si mesma, tornando-se conhecida dele, e provocando dessa maneira o fracasso das aspirações da outra. O mesmo aplica-se ao homem que, agindo como intermediário para outro e não tendo ligação anterior com a mulher, conquista-a para si próprio, provocando com isso o fracasso do outro.

A mulher que conquistou a confiança da jovem esposa de um homem e que tomou conhecimento de seus segredos sem exercer qualquer pressão sobre ela, e descobriu como seu marido se comporta para com ela, se essa mulher então lhe ensinar a arte de conseguir os favores do marido e de como demonstrar-lhe seu amor, instruindo-a sobre como e quando deve mostrar-se zangada e então, tendo ela própria feito marcas de unhas e dentes no corpo da esposa, manda buscar o marido para mostrar-lhe essas marcas provocando assim o desejo dele, essa é a intermediária de uma esposa jovem e inocente. Nesses casos, o homem deve mandar a resposta à sua esposa por intermédio da mesma mulher.

Quando o homem faz com que a esposa conquiste a confiança de uma mulher que ele quer desfrutar, e faz com que a visite e converse com ela sobre a sabedoria e a habilidade do marido, essa esposa é chamada de esposa que serve de intermediária. Nesse caso os sentimentos da mulher, em relação ao homem, também lhe devem ser transmitidos por intermédio da esposa.

Quando o homem manda a menina, ou uma criada, procurar uma mulher a qualquer pretexto, e coloca uma carta nas flores que lhe envia, ou entre seus brincos, ou marca alguma coisa nessa por-tadora com seus dentes ou unhas, tal me-nina ou criada é chamada de intermediá-ria muda. Nesse caso, o homem deve esperar uma resposta da mulher, por intermédio da mesma pessoa.

Uma pessoa que leve a uma mu-lher uma mensagem com duplo senti-do, ou que se relacione com algum caso passado, ou que é ininteligível para ou-tras pessoas, é chamada de intermedi-ária que desempenha papel do vento. Nesse caso, a resposta deve ser dada por intermédio da mesma mulher.

Assim terminam os diferentes tipos de intermediárias.

Uma astróloga, uma criada, uma mendiga ou uma artista estão bem familiarizadas com a função de intermediária e sabem conquistar rapidamente a confiança da outra mulher. Qualquer uma delas sabe provocar a inimizade entre duas pessoas, se assim o desejar, ou exaltar a beleza de qualquer mulher que deseje elogiar, ou descrever as artes praticadas por outras mulheres na união sexual. Também pode falar muito bem do amor de um homem, de sua capacidade sexual, e do desejo que dele têm outras mulheres, mais belas talvez do que aquela a quem se dirigem, e explicar as limitações a que o homem está sujeito em sua casa.

Finalmente, pela sua conversação artificiosa, a intermediária pode unir uma mulher a um homem, muito embora ela jamais tenha pensado nele antes, ou muito embora o tenha considerado como fora de seu alcance. Também pode fazer um homem voltar para uma mulher por ele antes abandonada por qualquer razão.

CAPÍTULO V

Do amor de pessoas importantes
pelas esposas dos outros

Os reis e os ministros não freqüentam as casas de outras pessoas e, além disso, seu modo de vida é constantemente vigiado, observado e imitado por todos, do mesmo modo que o mundo animal, vendo o sol nascer, com ele se levanta; e quando, ao anoitecer, o sol se põe, com ele também se deita. As pessoas importantes não podem, portanto, praticar atos impróprios em público, pois isso não se coaduna com a sua posição e, se os praticassem, seriam passíveis de crítica. Quando, porém, tais atos lhes parecem necessários, utilizam-se de meios adequados para praticá-los, meios esses que descrevemos a seguir.

O chefe da aldeia, o representante local do rei e o homem cujo trabalho consiste em respigar o trigo podem conquistar as aldeãs com um simples convite. É por isso que os sibaritas consideram devassas as mulheres dessa classe.

A união dos homens acima mencionados com esse tipo de mulheres ocorre nas ocasiões do trabalho gratuito, do abastecimento dos celeiros de suas casas, da colocação e retirada de coisas na casa, da limpeza dos campos, e da compra de algodão, lã, linho, cânhamo e fio, e, ainda, na época da aquisição, venda e troca de vários outros artigos, bem como na época de vários outros trabalhos. Da mesma forma, os capatazes dos currais desfrutam as mulheres ali mesmo; os funcionários que são responsáveis pelas viúvas, pelas mulheres desamparadas, pelas mulheres que deixaram os maridos, têm relações sexuais com tais mulheres. Os inteligentes realizam seus objetivos andando à noite pela aldeia, enquanto os aldeões, estando muito tempo a sós com as esposas de seus filhos, a elas se unem também. Finalmente, os fiscais dos mercados têm muito contato com as mulheres da aldeia, quando ali vão fazer suas compras.

Durante o festival da oitava lua, isto é, durante a parte clara do mês de Nargashirsha, bem como durante o festival ao luar do mês de Kartika, e na festa da primavera de Chaitra, as mulheres das cidades e aldeias geralmente visitam as mulheres do harém, no palácio real. Essas visitantes vão aos diversos aposentos das mulheres que lhes são conhecidas, passam a noite conversando e praticando os jogos e distrações adequadas, despedindo-se pela manhã. Nessas ocasiões, uma criada do rei (que já conhecia a mulher desejada pelo soberano) deverá vagar pelas proximidades e abordar tal mulher, quando esta partir para casa, e convencê-la a ir ver coisas interessantes no palácio. Antes dessas festas, ela pode até mesmo ter feito a mulher pensar que, em tal ocasião, ela lhe mostraria coisas curiosas no palácio real. Assim, ela lhe mostraria o caramanchão de trepadeiras de coral, a casa do jardim com seu assoalho revestido de pedras preciosas, o caramanchão das videiras, o edifício sobre a água, as passagens secretas nas paredes do palácio, os quadros, os animais de caça, as máquinas, os pássaros e as jaulas dos leões e tigres. Depois, estando a sós com ela, falará do amor que o rei lhe tem, descrevendo-lhe a boa sorte que a espera em sua união com ele, fazendo-lhe ao mesmo tempo a promessa solene de guardar segredo. Se a mulher não aceitar a oferta, deve conciliá-la e agradá-la oferecendo-lhe belos presentes dignos da posição do rei, e, depois de acompanhá-la por algum tempo, dela se deve despedir com mostras de grande afeição.

Ou, tendo travado conhecimento com o marido da mulher desejada pelo rei, as esposas deste devem fazer com que ela as visite no harém, ocasião em que uma das criadas reais, ali enviada com essa finalidade, agirá como acima se descreveu.

Ou uma das esposas do rei deve travar conhecimento com a mulher por ele desejada, mandando uma das criadas procurá-la. Esta, ao se tornar mais

íntima da mulher, a convidará para visitar o palácio. Depois que a mulher tiver percorrido o harém e adquirido confiança, uma das confidentes do rei, para isso enviada, deverá agir como acima se descreveu.

Ou a esposa do rei deve convidar a mulher por ele desejada para visitar o palácio, a fim de ver a arte em que a esposa do rei é perita. Quando ela chegar ao harém, uma criada do rei, para isso enviada, deverá agir como acima se descreveu.

Ou uma mendiga, em conluio com a esposa do rei, deve dizer à mulher por ele desejada, e cujo marido pode ter perdido a fortuna, ou pode ter algum motivo para temer o monarca: "Essa esposa do rei tem influência sobre ele e, além disso, é pessoa de bom coração, razão pela qual devemos procurá-la, quanto a essa questão. Farei com que você entre no harém e ela dissipará todas as causas de perigo e de receio que possa haver em relação ao rei." Se a mulher aceitar, a mendiga deve levá-la duas ou três vezes ao harém e a esposa do rei deve prometer-lhe sua afeição. Depois disso, quando a mulher, encantada com a recepção, for novamente ao harém, uma criada do rei, para isso enviada, deverá agir como foi dito.

O que se disse acima sobre a esposa de alguém que tem razões para temer o rei também se aplica às mulheres daqueles que querem entrar para o serviço real, ou são oprimidos pelos ministros reais, ou são pobres, ou que estão descontentes com a sua posição, ou desejam conseguir os favores reais, ou querem adquirir fama, ou são oprimidos pelos membros de sua própria casta, ou querem fazer mal aos seus companheiros de casta, ou são espiões do rei, ou têm qualquer outro objetivo a alcançar.

Finalmente, se a mulher desejada pelo rei vive com alguém que não é seu marido, então o rei pode mandá-la prender e, tendo feito dela sua escrava, devido ao seu crime, deve colocá-la no seu harém. Ou o rei deve fazer com que seu embaixador se desentenda com o marido da mulher por ele desejada, e em seguida prendê-la como esposa de um inimigo do rei, e dessa maneira colocá-la em seu harém.

Assim terminam os meios de conseguir secretamente as esposas dos outros.

Os meios acima descritos para se conseguir as esposas dos outros são praticados principalmente nos palácios reais. O rei, porém, não deve entrar nunca na casa de outra pessoa, pois Abhira,[1] rei dos kottas, foi morto por um lavadeiro quando na casa de outra pessoa, o mesmo acontecendo com Jayasana, rei dos kashis, morto pelo comandante de sua cavalaria.

De acordo, porém, com os costumes de certos países, os reis têm facilidades para possuir as esposas de outros homens. Assim, no país dos andhras[2] as moças do povo recém-casadas vão ao harém real no décimo dia depois do casamento, levando presentes e, depois de terem sido desfrutadas pelo rei, são mandadas de volta. No país dos vatsagulmas[3] as esposas dos principais ministros procuram o rei à noite, para servi-lo. No país dos vaidarbhas[4] as esposas dos habitantes, quando são belas, passam um mês no harém real, a pretexto de demonstrar afeição pelo rei. No país dos aparatakas[5] o povo oferece suas belas filhas como presentes aos ministros e reis. E, finalmente, no país dos saurashtras[6] as mulheres da cidade e do campo vão para o harém real, para o prazer do rei, juntas ou separadamente.

Há também dois versículos sobre o assunto e que são os seguintes:

"As maneiras acima descritas, e outras semelhantes, são empregadas nos diferentes países pelos reis, em relação às esposas de outras pessoas. Mas o rei, que tem no coração o bem-estar do seu povo, não deve, de modo algum, colocá-las em prática."

"O rei que tiver conquistado os seis inimigos da humanidade[7] torna-se senhor de toda a terra."

---

[1] Não são conhecidas as datas exatas dos reinados desses reis. Acredita-se que tenham ocorrido em princípios da era cristã.

[2] A moderna região de Tailangam, ao sul de Rajamundry.

[3] Supõe-se ser uma região ao sul da Malwa.

[4] Hoje conhecido pelo nome de Berar. Sua capital era Kundinpura, identificada com o moderno Oomravati.

[5] Também chamados de aparantakas, localizados ao norte e ao sul de Concan.

[6] A moderna província de Kattyawar. Sua capital era chamada Giringuda, ou a moderna Junagurh.

Das mulheres do harém real e da vigilância sobre a própria esposa

As mulheres do harém real não podem ver nenhum homem, ou com ele se encontrar, por estarem rigorosamente vigiadas. Seus desejos não são satisfeitos porque um só marido é partilhado por todas elas. Por isso, encontram o prazer entre si, das várias maneiras que passamos a descrever.

Vestem de homem as filhas de suas amas, as amigas ou as criadas e satisfazem seus desejos por meio de bulbos, raízes e frutos que tenham a forma do linga, ou se deitam sobre estátuas de homens que tenham o membro visível e em ereção.

Alguns reis compassivos usam remédios que lhes permitam desfrutar muitas esposas numa só noite, apenas com o objetivo de satisfazê-las, embora talvez não experimentem o mesmo desejo que elas. Outros gozam, com grande afeição, apenas as mulheres das quais gostam em especial, enquanto outros desfrutam as suas esposas segundo uma ordem previamente estabelecida. São essas as maneiras pelas quais o gozo é obtido no Oriente, e o que se diz sobre os meios de gozo das mulheres aplica-se também aos homens.

Com a cumplicidade de suas criadas, as mulheres do harém real geralmente introduzem homens em seus apartamentos, disfarçados de mulher. As criadas e as filhas de suas amas, que lhes conhecem os segredos, empenham-se em trazer homens para o harém, dessa maneira, falando-lhes das vantagens que isso lhes pode

trazer e descrevendo as facilidades de entrar e sair no palácio, as grandes proporções do local, o descuido das sentinelas e as irregularidades dos que servem as
esposas reais. Essas mulheres não devem, porém, levar nunca um homem a entrar
no harém dizendo-lhe mentiras, pois isso pode acarretar a sua destruição.

Quanto ao homem, seria melhor que não penetrasse no harém real, mesmo
quando de fácil acesso, em razão dos numerosos perigos a que se pode expor
ali. Se, apesar disso, desejar aventurar-se, deve primeiro verificar se há uma saída
fácil, se esta é cercada de um jardim de recreio, se tem recintos separados, se
as sentinelas são negligentes, se o rei viajou; só então, quando chamado pelas
mulheres do harém, deve observar cuidadosamente o local e entrar da maneira
ensinada por elas. Se isso lhe for possível, deve rondar diariamente o harém e a
qualquer pretexto estabelecer amizade com as sentinelas, mostrar dedicação às
criadas, que podem ter percebido suas intenções e às quais deve contar seu
sofrimento por não conseguir o objeto de seu desejo. Finalmente, deve tomar
como medianeira uma mulher que tenha acesso ao palácio, e ter cuidado em
reconhecer os emissários do rei.

Quando a intermediária não tem acesso ao harém, o homem deve colocar-se
num lugar onde a mulher amada, a quem ele anseia por desfrutar, possa ser vista.

Se esse lugar estiver ocupado pelas sentinelas do rei, deve então disfarçar-
se em criada de uma mulher que venha a esse lugar ou por ali passe. Quando
for visto pela amada, deve demonstrar-lhe seus sentimentos por indícios exteriores e gestos, mostrar-lhe quadros, coisas com duplo sentido, grinaldas de flores
e anéis. Deve observar com atenção a resposta dela, dada com palavras, sinais
ou gestos, e em seguida deve tentar penetrar no harém. Se tiver certeza que a
mulher vai a um determinado lugar, deve esconder-se ali e, no momento indica-
do, entrar junto com ela como se fosse um dos guardas. Também pode entrar
e sair escondido num colchão ou numa colcha, ou tornando-se invisível[1] por
meio de aplicações externas, uma das quais tem a seguinte receita:

---

[1] A maneira de tornar-se invisível, o conhecimento da arte da transmigração, ou de transformar-se, ou
transformar os outros, em qualquer coisa, pelo uso de encantamentos, o poder de estar em dois lugares
ao mesmo tempo, e outras ciências ocultas são mencionados com freqüência na literatura oriental.

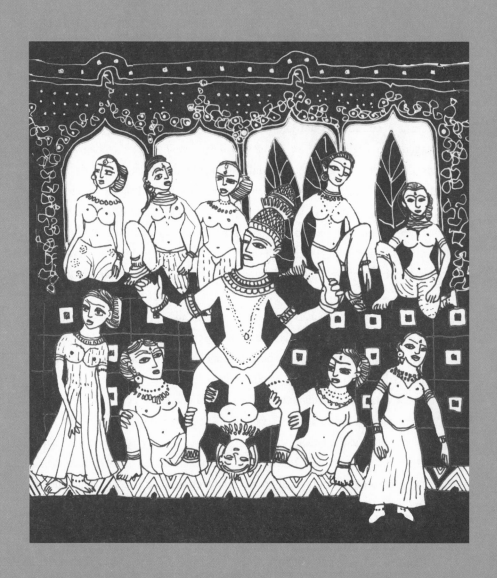

Queimem-se, sem provocar fumaça, o coração de um mangusto, o fruto de uma grande abóbora (*tumbi*) e os olhos de uma serpente. As cinzas deverão ser trituradas e misturadas com igual quantidade d'água. Passando essa mistura sobre os olhos, a pessoa pode deslocar-se sem ser vista.

Outros meios de conseguir a invisibilidade são recomendados pelos brâmanes de Duyana e pelos Jogashiras.

O homem também pode entrar no harém durante as festas da oitava lua, no mês de Nargashirsha, ou durante as festas ao luar quando as criadas do harém estão muito ocupadas, e em confusão.

Os princípios seguintes sobre o assunto devem ser respeitados:

A entrada de um rapaz nos haréns e sua saída ocorrem geralmente quando se introduzem mercadorias no palácio, ou quando dele são retiradas, ou durante a realização de festas, ou quando as criadas estão com pressa, ou quando a residência de algumas das esposas reais está sendo modificada, ou quando as esposas do rei vão aos jardins ou às feiras, ou quando entram no palácio de regresso, ou, finalmente, quando o rei está ausente numa longa peregrinação. As mulheres do harém real conhecem mutuamente seus segredos e, tendo apenas um objetivo em mente, ajudam-se umas às outras. O homem que desfruta todas elas e que a todas é comum pode continuar a fazê-lo enquanto tudo for mantido em segredo, e não se torne conhecido fora do palácio.

Ora, no país dos aparatakas, as mulheres do harém real não são bem protegidas, e em conseqüência muitos rapazes penetram no harém, levados pelas mulheres que a ele têm acesso. As esposas reais do país de Ahira satisfazem seus desejos com as sentinelas do harém, que têm o nome de *Kashtriyas*. As esposas reais dos vatsagulmas fazem com que os homens desejados entrem no harém com as suas intermediárias. No país dos vaidarbhas os filhos das esposas reais entram no harém quando querem e desfrutam as mulheres, com a exceção de suas respectivas mães. No Stri-rajya as esposas do rei são desfrutadas pelos membros de sua casta e pelos parentes. Em Ganda, as esposas reais são desfrutadas pelos brâmanes, amigos, criados e escravos. Em Samdhava, criados, filhos adotivos e outras pessoas semelhantes gozam as mulheres do harém. No país dos haimavatas, os homens aventureiros subornam as sentinelas para entrar no harém. No país dos vanyas e dos kalmyas, os brâmanes, com o conhecimento do rei, entram no harém a pretexto de levar flores para as mulheres e falam com elas através de uma cortina; depois dessa conversa, costuma ocorrer a união. Finalmente, as mulheres do harém do rei dos prachyas escondem um rapaz para cada grupo de nove ou dez mulheres.

Assim se comportam as esposas dos outros.

Por essas razões, o homem deve vigiar a própria esposa. Autores antigos dizem que o rei deve escolher para sentinelas de seu harém homens cuja indiferença aos desejos carnais tenha sido bem comprovada. Tais homens, porém, embora livres do desejo carnal podem, por medo ou cupidez, deixar que outras pessoas entrem no harém, razão pela qual Gonikaputra diz que os reis devem colocar como guardas homens cuja indiferença aos desejos carnais, ao medo e à cupidez tenha sido bem comprovada. Finalmente, Vatsyayana diz que, sob a influência de Dharma,[2] os guardas podem deixar que homens penetrem no harém e, por isso, devem ser escolhidos para sentinelas aqueles que estejam livres dos desejos carnais, do medo, da cupidez e de Dharma.[3]

Os seguidores de Babhravya dizem que o homem deve aproximar sua esposa de uma mulher jovem, que lhe contará os segredos de outras pessoas e, com isso, também os segredos relativos à castidade de sua própria esposa. Mas Vatsyayana diz que, como as pessoas pérfidas conseguem sempre sucesso com as mulheres, o homem não deve permitir que sua esposa inocente seja corrompida, colocando-a em contato com uma mulher astuta.

As causas da perda da castidade de uma mulher são as seguintes:

• Freqüência assídua nas reuniões sociais
• Ausência de moderação

---

[7] São eles: a Luxúria, a Ira, a Avareza, a Ignorância Espiritual, o Orgulho e a Inveja.

[2] Isso pode significar influência religiosa, e alusão às pessoas que possam ser conquistadas por meio dela.

[3] Nota-se, por esse trecho, que os eunucos parecem não ter sido usados nos haréns reais naquela época, embora pareçam ter sido empregados para outras finalidades. Ver Parte II, capítulo XI.

- Hábitos dissolutos do marido
- Falta de cautela em suas relações com outros homens
- Ausência prolongada do marido
- A vida num país estrangeiro
- A perda do amor e da afeição pelo marido
- A companhia de mulheres dissolutas
- O ciúme do marido

Há também os seguintes versículos sobre o assunto:

"O homem sagaz, que aprendeu nos Shastras as maneiras de conquistar as esposas dos outros, não se deixa enganar nunca em relação às próprias esposas. Ninguém, porém, deve utilizar essas maneiras para seduzir as esposas alheias, pois nem sempre se consegue êxito nessa empreitada e, o que é mais importante, ela muitas vezes provoca desastres e a destruição de Dharma e de Artha. Este livro, que visa ao bem das pessoas, a ensinar-lhes as maneiras de proteger as próprias esposas, não deve ser utilizado apenas para conquistar as mulheres dos outros."

PARTE VI

DAS CORTESÃS

INTRODUÇÃO

A parte VI, "Das Cortesãs", foi preparada por Vatsyayana a partir de um tratado sobre o assunto, escrito por Dattaka para as mulheres de Pataliputra (o moderno Patna), há cerca de 2 mil anos. A obra de Dattaka não existe mais, porém este resumo foi muito bem-feito e é comparável a qualquer uma das produções de Émile Zola e outros autores da escola realista de hoje.

Embora muito se tenha escrito sobre a cortesã, em nenhuma outra obra se encontrará melhor descrição dela, de seus apetrechos, de suas idéias e de sua mentalidade, do que nas páginas seguintes.

Os detalhes da vida doméstica e social dos antigos hindus não seriam completos sem menção da cortesã e esta parte é totalmente dedicada ao assunto. Os hindus tiveram sempre o bom senso de reconhecer serem as cortesãs parte integrante da sociedade humana e, desde que se comportassem com decência e de maneira adequada, eram vistas com um certo respeito. Elas nunca foram tratadas, no Oriente, com a brutalidade e o desprezo tão comuns no Ocidente, e sua educação foi, ali, muito superior à oferecida às outras mulheres nos países orientais.

Antigamente, as dançarinas e cortesãs hindus bem-educadas assemelhavam-se, sem dúvida, à *hetera* dos gregos e, sendo educadas e interessantes, eram muito mais aceitáveis como companhia do que as mulheres da época, casadas ou não. Em todas as épocas e em todos os países houve sempre uma certa rivalidade entre as mulheres castas e as que não o são. Embora certas mulheres nasçam para ser cortesãs e sigam os instintos de sua natureza, em todas as classes da sociedade, já se disse com exatidão que toda mulher tem um pouco da cortesã e se empenha sempre, como regra geral, em agradar aos homens.

A sutileza das mulheres, sua maravilhosa capacidade de percepção, seu conhecimento e a apreciação intuitiva dos homens e das coisas tornam-se claros nas páginas que se seguem, que podem ser consideradas como uma essência concentrada, que desde a época de sua preparação foi desenvolvida em detalhe por muitos autores, em todas as partes do mundo.

CAPÍTULO I

Das causas que levam a cortesã a recorrer aos homens, dos meios que utilizam para prender o homem desejado e do tipo de homem que mais lhe interessa

Ao se unirem aos homens, as cortesãs desfrutam o prazer sexual e, ao mesmo tempo, conseguem seu próprio sustento. Ora, quando a cortesã se une a um homem por amor, esse ato é natural, mas quando a ele recorre com o objetivo de conseguir dinheiro, seu ato é artificial ou forçado. Mesmo neste último caso ela tem de comportar-se como se seu amor fosse natural, pois os homens reservam a sua confiança para as mulheres que lhes aparentam ter amor. Demonstrando amor pelo homem, a cortesã terá de mostrar-se também isenta de cupidez, e, para que tenha crédito no futuro, deverá abster-se de conseguir dinheiro do homem por meios ilícitos.

A cortesã, bem vestida e com seus enfeites, deve sentar-se, ou ficar de pé, à porta de sua casa e, sem se exibir demais, deve olhar para a rua de modo a ser vista pelos que passam, pois ela é como um objeto em exposição para venda.[1] Deve fazer amizade com pessoas que a possam ajudar a afastar os homens de

---

[1] Na Inglaterra, as cortesãs de baixa classe andam pelas ruas; na Índia e outros lugares do Oriente, sentam-se à janela ou à porta de suas casas.

outras mulheres e levá-los para ela, a adquirir riqueza e a protegê-la contra agressões ou desonestidade de pessoas com as quais possa ter transações de qualquer tipo.

Essas pessoas são:

- Os guardas da cidade, ou a polícia
- Os oficiais dos tribunais de justiça
- Os astrólogos
- Os homens poderosos e influentes
- Os homens instruídos
- Os mestres das 64 artes
- Os Pithamardas ou confidentes
- Os Vitas ou parasitas
- Os Vidushakas, ou jograis
- Os vendedores de flores
- Os perfumistas
- Os vendedores de bebidas
- Os lavadeiros
- Os barbeiros
- Os mendigos
- E as pessoas que possam ser necessárias aos objetivos por ela visados

Os seguintes tipos de homens podem ser procurados, simplesmente com o objetivo de conseguir dinheiro:

- Homens de renda independente
- Homens jovens
- Homens que não têm ligações
- Homens que ocupam cargos de autoridade na corte
- Homens que asseguram seus meios de vida sem dificuldades
- Homens que dispõem de fontes de renda infalíveis
- Homens que se consideram bonitos

- Homens que estão sempre elogiando a si mesmos
- O eunuco que quer ser considerado como homem
- O homem que odeia seus pares
- O homem que é naturalmente liberal
- O homem que tenha influência junto ao rei ou seus ministros
- O homem que sempre tem sorte
- O homem que se orgulha de sua riqueza
- O homem que desobedece às ordens dos mais velhos
- Aquele que é observado pelos membros de sua casta
- O filho único de pai rico
- O asceta que está intimamente perturbado pelo desejo
- O homem corajoso
- O médico do rei
- Conhecidos antigos

Por outro lado, os homens dotados de qualidades excelentes também podem ser procurados, pois podem proporcionar amor e fama. Esses homens são os seguintes:

Homens de alto nascimento, instruídos, com bom conhecimento do mundo, que fazem as coisas adequadas no momento devido, poetas, contadores de histórias, homens eloqüentes, enérgicos, versados nas várias artes, clarividentes, dotados de grande inteligência, perseverantes, de dedicação firme, que não sejam propensos à cólera, liberais, afeiçoados a seus pais, que gostem das reuniões sociais, habilidosos em terminar versos iniciados por outros e em vários jogos diferentes, de boa saúde, dotados de corpo perfeito, fortes, que não sejam viciados em bebida, vigorosos na prática sexual, sociáveis, inclinados pelas mulheres e a elas atraentes, mas sem se deixar por elas dominar, possuidores de meios de vida independentes, livres da inveja e, finalmente, livres de qualquer suspeita.

São essas as boas qualidades do homem.

A mulher também deve ter as seguintes características:

Deve ser bela, amável e ter marcas auspiciosas no corpo. Deve gostar das boas qualidades nas outras pessoas, bem como de riqueza. Deve deliciar-se nas uniões sexuais que resultem do amor, e deve ter espírito firme, bem como ser da mesma classe do homem com quem se une sexualmente.

Deve estar sempre interessada em adquirir experiência e conhecimento, ser livre da avareza e gostar das reuniões sociais e das artes.

São as seguintes as qualidades comuns de todas as mulheres:

Devem ser dotadas de inteligência, boa disposição e boas maneiras; devem ter comportamento reto e demonstrar gratidão; devem pensar bem no futuro antes de tomar qualquer decisão; devem ser ativas, ter uma conduta coerente e o conhecimento dos momentos e lugares adequados para fazer as coisas; devem falar sempre sem mesquinharia, abster-se de rir alto, de maldade, ira, avareza, desinteresse ou estupidez; devem ter conhecimento do *Kama Sutra* e ser peritas em todas as artes a ela relativas.

As faltas das mulheres são notadas pela ausência de qualquer das boas qualidades acima mencionadas.

Os seguintes tipos de homens não devem ser procurados pelas cortesãs:

Os tuberculosos; os enfermos; os que têm vermes na boca ou cujo hálito seja fétido; aquele que ame a esposa; o que fala com dureza; os que são sempre desconfiados; os avarentos; os impiedosos; os ladrões; os pretensiosos; os que gostam de feitiçarias; os que não se importam com o respeito ou desrespeito; os que podem ser comprados até mesmo pelos seus inimigos; e, finalmente, os que são excessivamente pudicos.

Os autores antigos são de opinião que as causas que levam uma cortesã a recorrer aos homens são o amor, o medo, o dinheiro, o prazer, a vingança, a curiosidade, o sofrimento, as relações sexuais constantes, Dharma, a celebridade, a compaixão, o desejo de ter um amigo, a vergonha, a semelhança do homem com alguma outra pessoa amada, a busca de boa sorte, a tentativa de livrar-se do amor de alguma pessoa, o fato de ser sexualmente da mesma classe do homem, de viver no mesmo lugar, e a pobreza. Mas Vatsyayana diz que a ambição de riqueza, de proteção contra as desgraças e o amor são as únicas causas que influem na união das cortesãs com os homens.

A cortesã não deve sacrificar o dinheiro ao seu amor, porque dinheiro é a principal coisa a ter em conta. Nos casos de medo etc., ela deve considerar a força e outras qualidades. Além disso, embora seja convidada por qualquer homem a unir-se com ele, não deve consentir imediatamente numa união, pois os homens costumam desprezar aquilo que é conseguido com facilidade. Nessas ocasiões, ela deve mandar primeiro as massagistas, as cantoras e os bufões, que possam estar a seu serviço ou, na sua ausência, os Pithamardas ou confidentes e os outros, para verificar os sentimentos do homem e seu estado de espírito. Através dessas pessoas ela deve constatar se o homem é puro ou impuro, honesto ou dissimulado, capaz de afeições ou indiferente, generoso ou mesquinho; e, se ele for de seu agrado, deve empregar o Vita e outros para prendê-lo à sua pessoa.

Dessa forma, o Pithamarda deve levar o homem à casa dela sob o pretexto de ver uma briga de codornizes, galos e carneiros, de ouvir o mainá falar, ou de ver qualquer outro espetáculo, ou demonstrações de alguma arte; ou pode levar a mulher à casa do homem. Depois disso, quando o homem for à casa dela, a mulher deve dar-lhe algo que seja capaz de provocar curiosidade e amor no seu coração, como um presente afetuoso, dizendo-lhe que isso se destinava especialmente ao seu uso. Ela deve também distraí-lo durante muito tempo, contando-lhe histórias e fazendo aquilo que mais agradável lhe seja. Quando o homem for embora, ela deve enviar-lhe com freqüência uma criada, hábil na arte de conversação engraçada, e também um pequeno presente ao mesmo tempo. Deve também ir ela própria, por vezes, a qualquer pretexto e acompanhada pelo Pithamarda.

Assim terminam os meios de apegar-se ao homem desejado.

Há também alguns versículos sobre o assunto e que são os seguintes:

"Quando um amante vem à sua casa, a cortesã deve dar-lhe uma mistura de folhas e nozes de bétel, grinaldas de flores e ungüentos perfumados e, mostrando sua habilidade nas artes, deve entretê-lo com uma prolongada conversação. Deve também dar-lhe presentes amorosos e trocar coisas com ele e, ao mesmo tempo, mostrar-lhe sua habilidade no prazer sexual. Quando a cortesã assim se tiver unido ao seu amante, deve sempre deliciá-lo com presentes afetuosos, pela sua conversação e pelo recurso a práticas afetuosas de meios de prazer."

CAPÍTULO II

Da cortesã que vive
maritalmente com um homem

Quando a cortesã vive maritalmente com seu amante deve comportar-se como uma mulher casta e fazer tudo para satisfazê-lo. Ela deve, em suma, proporcionar-lhe prazer, mas não se deve apegar a ele, embora se comporte como se realmente o amasse.

Eis como se deve comportar, para alcançar esse objetivo. Terá consigo a mãe, como dependente, pessoa que se mostrará muito severa e que considere o dinheiro como seu principal objetivo de vida. Se não tiver mãe, uma velha ama de confiança poderá desempenhar esse papel. A mãe, ou a ama, por sua vez, deve demonstrar descontentamento com o amante e afastá-la dele. A cortesã deverá demonstrar sempre uma falsa ira, abatimento, medo e vergonha por essa razão, mas não deve, em momento algum, desobedecer à sua mãe ou ama.

Dirá à mãe, ou à ama, que o homem se encontra enfermo e usará esse pretexto para visitá-lo. Fará, além disso, o seguinte para conquistar-lhe os favores:

Mandará a criada buscar as flores usadas por ele na véspera, para usá-las ela mesma como mostra de afeição, bem como a mistura de nozes e folha de bétel que não tenha sido comida por ele; expressará surpresa com seu conhecimento da arte sexual e com os vários meios de obter prazer por ele usados; aprenderá com ele os 64 tipos de prazer mencionados por Babhravya; praticará constantemente os meios de prazer que lhe foram por ele ensinados e de acordo com as suas preferências; guardará seus segredos; contará a ele seus desejos e segredos; disfarçará sua ira; não se mostrará nunca indiferente quando, no leito, ele se voltar para ela; acariciará qualquer parte do corpo que ele queira; irá beijá-lo e abraçá-lo quando estiver dormindo; terá para ele um olhar preocupado quando estiver pensativo, ou refletindo sobre outro assunto que não seja ela; não demonstrará despudor total nem pudicícia excessiva quando com ele se encontrar, ou quando ele, da rua, a puder contemplar no terraço de sua casa; odiará seus inimigos; gostará das pessoas que lhe são queridas; gostará daquilo de que ele gosta; estará bem ou mal disposta, de acordo com o seu estado de espírito; mostrará curiosidade de conhecer suas esposas; não se manterá zangada por muito tempo; simulará suspeitar de que as marcas e arranhões dos seus próprios dentes e unhas no corpo do amante foram feitos por outra mulher. Não expressará seu amor por palavras, mas sim por atos, sinais e indícios; ficará calada quando ele estiver dormindo, embriagado ou doente; prestará atenção quando ele contar as boas ações que praticou e as divulgará depois, para seu elogio e proveito; dará respostas espirituosas se ele se mostrar afeiçoado; ouvirá quando ele lhe contar histórias, exceto as relacionadas com suas rivais; mostrará desânimo e pena quando ele suspirar, bocejar ou estiver abatido; dirá "saúde" quando ele espirrar; fingirá estar doente ou grávida quando se sentir abatida; não elogiará as qualidades de outra pessoa nem criticará quem tenha os mesmos defeitos de seu amante; usará tudo o que lhe tenha sido oferecido por ele; irá se abster de enfeites e alimentos quando ele sentir dores, estiver doente, deprimido ou melancólico e exprimirá pesar, lamentando-se junto com ele. Desejará acompanhá-lo se ele sair voluntariamente do país ou se for exilado pelo rei; exprimirá o desejo de morrer primeiro; dirá a ele que todo o fim e desejo de sua vida consiste em estar unida a ele; oferecerá à Divindade sacrifícios anteriormente prometidos quando ele enriquecer, tiver algum desejo satisfeito ou restabelecer-se de uma doença; todos os dias se enfeitará; não procederá com demasiada liberdade para com ele; mencionará seu nome, e o de sua família, nas canções; colocará a mão dele sobre seus rins, seios e testa, e só adormecerá depois de sentir o prazer de seu contato; no seu colo se sentará e ali adormecerá; desejará ter um filho dele; irá se abster de revelar seus segredos aos outros; irá dissuadi-lo de votos religiosos e jejuns, dizendo: "Que o pecado recaia sobre mim"; quando não puder dissuadi-lo o acompanhará em seus votos e jejuns; dirá a ele que os votos e os jejuns são difíceis de serem cumpridos até por ela própria, quando discutir com ele sobre isso; zelará pelos seus bens e pelos dele sem qualquer distinção; irá se abster de ir sozinha às reuniões sociais e o acompanhará quando ele assim o desejar; terá prazer em usar as coisas antes usadas por ele e em comer aquilo que ele deixe de lado; respeitará sua família, suas disposições, suas habilidades nas artes, sua cultura, sua casta, sua cor, sua terra natal, seus amigos, suas boas qualidades, sua idade e sua afabilidade; pedirá a ele que cante e faça coisas semelhantes, quando ele tiver tais talentos; a despeito do medo, do frio, do calor ou da chuva o acompanhará; dirá que ele terá de ser o seu amor até no outro mundo; adaptará seus gostos, caráter e comportamento ao gênio dele; irá se abster de práticas de feitiçaria; discutirá constantemente com a mãe sobre os seus encontros com o amante e, quando levada à força pela mãe para qualquer outro lugar, mostrará desejo de morrer tomando veneno, deixando de comer e apunhalando-se ou enforcando-se; finalmente, assegurará ao homem sua constância e amor por meio de seus intermediários e receberá ela própria o dinheiro, embora evite qualquer disputa com a mãe sobre questões pecuniárias.

Quando o homem for viajar, ela deve fazer com que prometa voltar logo e, em sua ausência, não cumprirá os votos de adorar a Divindade, não usará enfeites exceto os que dão sorte. Se a data fixada para a volta do amante passar sem que ele retorne, ela procurará saber a data exata recorrendo aos presságios, às notícias dadas por outras pessoas e à posição dos planetas, da lua e das estrelas. Por ocasião de diversões, e de sonhos auspiciosos, deverá dizer:

"Seja-me permitido unir-me logo com ele." Se, além disso, se sentir melancólica ou perceber presságios de mau agouro, deve cumprir os ritos de apaziguamento da Divindade.

Quando o homem voltar, ela deve cultuar o deus Kama,[1] e fará oblatas a outras divindades. Tendo feito com que as amigas lhe tragam uma vasilha cheia d'água, praticará o ritual em honra do corvo que se alimenta das oferendas que fazemos aos manes dos parentes mortos. Depois de terminada a primeira visita, pedirá ao amante que cumpra também determinados ritos, o que ele fará se lhe tiver bastante afeição.

Afirma-se que o homem tem bastante amor à mulher quando esse amor é desinteressado; quando tem os mesmos objetivos que a sua amada; quando não alimenta suspeitas sobre ela; e quando é indiferente ao dinheiro que ela gasta.

É esse o comportamento da cortesã que vive maritalmente com o homem e aqui descrito para servir de orientação e com base nas regras de Dakatta. O que não estiver dito aqui deve ser feito de acordo com o costume local e a natureza de cada pessoa.

Há também dois versículos sobre o assunto e que são os seguintes:

"As proporções do amor das mulheres não são conhecidas, nem mesmo pelos que são objeto dele, por causa da sua sutileza, bem como da cupidez e da inteligência natural do sexo feminino."

"Dificilmente se poderá conhecer a verdadeira natureza das mulheres, embora elas possam amar os homens ou a eles ser indiferentes, possam proporcionar-lhes prazer ou abandoná-los, ou possam apossar-se de toda a riqueza que tenham."

---

[1] Kama, ou seja, o Cupido indiano.

CAPÍTULO III

Dos meios de conseguir dinheiro, dos indícios de mudanças nos sentimentos do amante e da maneira de livrar-se dele

Há duas maneiras de conseguir dinheiro de um amante:

Por meios naturais ou legítimos, ou por artifícios. Os autores antigos são de opinião que, quando a cortesã pode obter todo o dinheiro desejado de seu amante, não deve recorrer aos artifícios. Mas Vatsyayana afirma que, embora ela possa conseguir algum dinheiro dele pelos meios naturais, se recorrer aos artifícios conseguirá muito mais e portanto é isso que deve fazer, a fim de lhe extorquir dinheiro sob todos os pretextos.

Os artifícios a serem usados para conseguir dinheiro do amante são os seguintes:

Pedir-lhe dinheiro em diferentes ocasiões para a compra de vários artigos, como enfeites, comida, bebida, flores, perfumes e roupas, mas não comprá-los, ou pedir-lhe mais do que custam.

Louvar a inteligência do amante na sua presença.

---

¹ O cumprimento de um voto ou promessa era comemorado com uma festa. Algumas árvores, como a *Peepul* e a *Banyan*, são envolvidas de faixas sagradas como as dos brâmanes, e na ocasião dessa solenidade realiza-se uma festa. Da mesma forma, quando são concluídos jardins, templos ou tanques, são realizadas festas.

Fingir que está obrigada a dar presentes por ocasião de festas relacionadas com votos, árvores, jardins, templos ou tanques.[1]

Fingir que suas jóias foram roubadas quando se dirigia para a casa do amante, seja pelos guardas do rei ou por assaltantes.

Dizer que seus bens foram destruídos pelo fogo, pelo desabamento de sua casa, ou pela negligência de seus criados.

Fingir que perdeu os enfeites do amante, juntamente com os seus.

Fazer com que outras pessoas lhe mencionem as despesas que ela tem de fazer para ir vê-lo.

Contrair dívidas em nome do amante.

Discutir com sua mãe sobre alguma despesa feita por amor a ele, e que não tenha sido aprovada por ela.

Deixar de comparecer a festas nas casas de seus amigos por falta de presentes a oferecer-lhes, tendo antes informado seu amante dos valiosos presentes que lhes foram dados por esses mesmos amigos.

Não cumprir certos ritos festivos sob o pretexto de não dispor de dinheiro para isso.

Contratar artistas para atuarem para seu amante.

Receber médicos e ministros com o objetivo de obter vantagens.

Ajudar amigos e benfeitores, tanto em ocasiões festivas como ocasiões de infortúnio.

Realizar os ritos domésticos.

Pagar as despesas da cerimônia de casamento do filho de uma amiga.

Satisfazer desejos curiosos quando estiver grávida.

Fingir-se doente e pedir dinheiro para tratamento.

Ter de solucionar os problemas de uma amiga.

Vender alguns enfeites para dar um presente ao amante.

Fingir que vende alguns enfeites, móveis ou utensílios de cozinha a um negociante, já instruído sobre como proceder na questão.

Comprar utensílios de cozinha de maior valor do que os de outras pessoas, para que sejam identificados mais facilmente e não se confundam com outros de qualidade inferior.

Lembrar os favores antigos do amante e fazer com que os amigos e acompanhantes sempre falem deles.

Contar ao amante os elevados ganhos de outras cortesãs.

Descrever, na frente de outras cortesãs e na presença do amante, seus próprios ganhos, como se fossem maiores do que na realidade são.

Contrariar abertamente sua mãe, quando esta tentar convencê-la a aceitar homens com os quais teve relações antes, por causa das grandes somas obtidas deles.

Finalmente, mencionar ao amante a liberalidade dos seus rivais.

Assim terminam as maneiras de conseguir dinheiro.

A mulher deve conhecer sempre o estado de espírito, os sentimentos e a disposição de seu amante para com ela, de acordo com as variações de seu humor, de suas maneiras e da cor de seu rosto.

O comportamento de um amante que começa a desinteressar-se é o seguinte:

Dá à mulher menos do que ela pede, ou algo diferente daquilo que ela pediu.

Ilude-a com promessas.

Finge fazer uma coisa e faz outra.

Não satisfaz os seus desejos.

Esquece as promessas, ou faz algo distinto daquilo que prometeu.

Fala de maneira misteriosa com seus criados.

Dorme em outra casa a pretexto de ter de fazer alguma coisa para um amigo.

Finalmente, fala em particular com os criados de uma mulher que já conhecia antes.

Quando a cortesã verificar que os sentimentos de seu amante para com ela estão mudando, deve apossar-se daquilo que ele tem de melhor, antes que descubra as intenções dela, e permitir que um suposto credor confisque esses bens pela força em pagamento de alguma pretensa dívida. Depois disso, se o amante for rico e sempre se tiver comportado bem para com ela, deverá tratá-lo sempre com respeito. Mas, se ele for pobre, deve livrar-se dele como se nunca o tivesse conhecido.

Os meios de livrar-se de um amante são os seguintes:

Descrever os hábitos e vícios do amante como coisas desagradáveis e censuráveis, com manifestações de desdém e batendo com o pé no chão.

Falar de um assunto que ele não conhece.

Não mostrar admiração pelos seus conhecimentos e censurá-lo por isso.

Menosprezar seu orgulho.

Buscar a companhia de homens superiores a ele em conhecimento e experiência.

Mostrar-lhe indiferença em todas as oportunidades.

Censurar homens que tenham os mesmos defeitos do amante.

Expressar descontentamento com as formas de prazer por ele utilizadas.

Não beijá-lo na boca.

Não deixar que ele toque o seu jaghana, isto é, a parte do corpo entre o umbigo e as coxas.

Mostrar aversão pelas feridas feitas pelas suas unhas e dentes.

Não se achegar a ele quando a abraçar.

Manter-se imóvel durante a relação sexual.

Desejar que ele a desfrute quando está cansado.

Rir do amor que ele lhe tem.

Não corresponder às suas carícias.

Afastar-se dele quando começar a abraçá-la.

Fingir que dorme.

Sair para fazer visitas, ou acompanhar amigas, ao perceber que ele a deseja durante o dia.

Interpretar mal as palavras dele.

Rir sem motivo ou, se ele disser alguma coisa engraçada, rir de outra coisa.

Olhar furtivamente para seus próprios criados e bater palmas para chamá-los quando ele estiver falando.

Interrompê-lo no meio de suas histórias para contar outras.

Mencionar suas faltas e vícios, classificando-os de irrecuperáveis.

Dizer às criadas palavras calculadas para feri-lo fundamente.

Ter cuidado em não olhar para ele, quando se aproximar dela.

Pedir-lhe o que ele não pode dar.
E, finalmente, despedi-lo.

Há também dois versículos sobre o
assunto e que são os seguintes:

"O dever da cortesã consiste em estabelecer ligações com homens adequados, depois de exame cuidadoso,
e prender a si a pessoa a quem se
uniu; em conseguir riqueza da pessoa que a ama e despedir essa
pessoa depois de lhe ter tomado todos os bens."

"A cortesã que viver maritalmente com um homem não se preocupa em ter muitos amantes, e mesmo assim consegue muitas riquezas."

CAPÍTULO IV

Da reconciliação com um antigo amante

Quando a cortesã deixa um amante depois de esgotada toda a sua riqueza, pode examinar a possibilidade de reconciliar-se com um antigo amante. Isso, porém, só deve ocorrer se ele tiver recuperado a fortuna, ou ainda for rico e estiver apaixonado por ela. Se esse homem estiver vivendo na ocasião com outra mulher, ela deve pensar bem antes de agir.

Esse homem só poderá estar numa das seis condições seguintes:

Pode ter deixado voluntariamente a primeira mulher, e pode mesmo ter deixado ainda outra mulher depois disso.

Pode ter sido despedido por ambas.

Pode ter deixado uma mulher por vontade dela e ter sido rejeitado pela outra.

Pode ter deixado voluntariamente uma mulher e estar vivendo com a outra.

Pode ter sido rejeitado por uma mulher e deixado voluntariamente a outra.

Pode ter sido rejeitado por uma mulher e estar vivendo com a outra.

Se o homem tiver deixado voluntariamente as duas mulheres, não deve ser procurado pela cortesã, por causa da inconstância de seu coração e de sua indiferença para com as qualidades das duas.

Quanto ao homem que possa ter sido repelido pelas duas mulheres, se foi abandonado pela última porque conseguia mais dinheiro de outro homem, a cortesã deverá aceitá-lo, pois, se amar a primeira mulher, a esta segunda dará mais dinheiro por uma questão de vaidade e para provocar despeito na outra.

Mas, se a mulher o abandonou por sua pobreza ou avareza, deverá evitar relacionar-se com ele.

No caso do homem que pode ter abandonado uma mulher e ter sido rejeitado pela outra, se concordar em voltar à primeira e der-lhe antecipadamente muito dinheiro, ela deverá aceitá-lo.

Quanto ao homem que possa ter deixado uma mulher voluntariamente e estar vivendo com outra, a primeira (desejando que ele volte) deve verificar primeiro se ele a abandonou na esperança de encontrar qualidades marcantes na outra e, não as tendo encontrado, dispõe-se a voltar para ela e a dar-lhe muito dinheiro para que esqueça seu comportamento, e porque sua afeição por ela ainda subsiste.

Ou se, tendo descoberto muitas falhas na outra, vê na primeira agora qualidades muito maiores do que ela realmente tem, estiver disposto a dar-lhe muito dinheiro em razão dessas qualidades.

Ou, finalmente, ela deve verificar se ele era fraco, ou gostava de ter muitas mulheres, ou gostava de uma mulher pobre, ou nunca fez nada pela mulher com quem estava. Depois de examinar cuidadosamente tudo isso, ela recorrerá ou não a ele, segundo as circunstâncias.

Quanto ao homem que possa ter sido expulso por uma mulher e deixado a outra voluntariamente, a primeira (querendo reconciliar-se com ele) deve verificar preliminarmente se ele ainda lhe tem amor e, portanto, se ainda está disposto a dar-lhe muito dinheiro; ou se, sendo apegado às suas qualidades excelentes, não encontrou prazer em nenhuma outra mulher; ou se, tendo sido expulso por ela antes de ver totalmente satisfeitos os seus desejos sexuais, quer voltar, a fim de vingar-se do insulto que lhe foi feito; ou se deseja conquistar-lhe a confiança para retomar a fortuna que perdeu para ela e, finalmente, destruí-la; ou se queria primeiro separá-la de seu atual amante e depois deixá-la. Se, depois de examinar todas essas possibilidades, ela for de opinião que as intenções dele são realmente puras e honestas, pode reconciliar-se com ele. Mas, se as intenções desse homem estiverem manchadas de desígnios maus, ele deve ser evitado.

No caso do homem que possa ter sido expulso por uma mulher e estar vivendo com outra, se ele procurar voltar para a primeira, a cortesã deve pensar

bem antes de agir, e, enquanto a outra estiver tentando prendê-lo, deve procurar (por trás das cortinas) ganhá-lo para si, sob uma das seguintes alegações:

A de que ele foi expulso injustamente e sem razão ponderável, e agora que se juntou a outra mulher é necessário fazer tudo para trazê-lo de volta.

A de que, se ele voltasse a conversar com ela novamente, deixaria a outra mulher.

A de que o orgulho do seu atual amante seria humilhado pelo anterior.

A de que ele enriqueceu, obteve uma posição mais elevada e ocupa lugar importante na corte.

A de que está separado da esposa.

A de que ele é agora independente.

A de que vive longe de seu pai, ou irmão.

A de que, reconciliando-se com ele, estaria com um homem muito rico, que hoje não a procura por causa do seu atual amante.

A de que, não sendo ele respeitado pela esposa, poderá agora separá-los.

A de que o amigo desse homem ama a sua rival, que a odeia cordialmente, e por meio dele poderá separá-los.

E, finalmente, provocará o descrédito desse homem reconquistando-o com o que mostrará a sua inconstância.

Quando a cortesã se decide à reconciliação com um antigo amante, seu Pithamarda e outros criados devem dizer a ele que a sua expulsão foi motivada pela maldade da mãe dela, e que a cortesã o amava, na época, como sempre amara, mas nada pôde fazer por causa do seu respeito pela vontade materna; que ela detesta a presença de seu atual amante, por quem tem aversão. Além disso, devem conquistar-lhe a confiança, falando-lhe do amor que a cortesã lhe tinha e devem aludir a uma marca de amor que ela tenha sempre recordado. Essa marca de amor deve estar relacionada com alguma forma de prazer por ele praticada, como a maneira de beijá-la, ou de unir-se a ela.

Assim terminam as maneiras de provocar a reconciliação com um antigo amante. Quando a mulher tem de escolher entre dois amantes, um dos quais já teve com ela uma união ao passo que o outro lhe é estranho, os Acharyas (sábios) são de opinião que o primeiro é preferível, pois seu gênio e seu caráter já são conhecidos das cuidadosas observações anteriores, sendo mais fácil contentá-lo e satisfazê-lo. Vatsyayana, porém, acha que o primeiro amante, já tendo gasto boa parte de sua fortuna, não será capaz nem estará disposto a dar novamente muito dinheiro, não sendo portanto tão digno de confiança quanto o homem que ainda não a conhece. Podem, no entanto, ocorrer casos particulares que contrariem essa regra geral, em virtude das diferenças de natureza do homem.

Há também alguns versículos sobre o assunto e que são os seguintes:

"A reconciliação com uma antiga amante pode ser aconselhável para separar uma mulher de um homem, ou um homem de uma mulher, ou para ter certos efeitos sobre o atual amante."

"Quando o homem é excessivamente apegado a uma mulher, tem medo de que ela entre em contato com outros homens; não se importa, então, com as suas faltas, é generoso, com medo de que ela o abandone."

"A cortesã deve ser agradável ao homem que lhe é apegado e desprezar o que lhe é indiferente. Se, quando ela estiver vivendo com um homem, for procurada por uma mensageira de qualquer outro, pode recusar-se a ouvir quaisquer propostas dela, ou marca uma determinada hora para que esse homem a visite, mas não deve abandonar o homem com quem vive e que pode ser apegado a ela."

"A mulher prudente só deve renovar o contato com um antigo amante se tiver certeza de que boa sorte, lucros, amor e amizade resultarão dessa reconciliação."

CAPÍTULO V

Dos diferentes tipos de ganho

Quando a cortesã pode ganhar diariamente muito dinheiro, por ter muitos clientes, não deve restringir-se a um único amante. Deve, nessas circunstâncias, fixar seu preço por uma noite, tendo em vista o lugar, a época e a condição da pessoa interessada, bem como as suas próprias qualidades e beleza, e depois de comparar seu preço com os das outras cortesãs. Pode informar seus amantes, amigos e conhecidos de seus preços. Se, porém, puder conseguir ganhos elevados com um único amante, poderá recorrer exclusivamente a ele e viver maritalmente com ele.

Os sábios são de opinião que, quando uma cortesã tem a oportunidade de conseguir o ganho igual de dois amantes ao mesmo tempo, deve dar preferência àquele que lhe der o tipo de coisas que necessita. Mas Vatsyayana afirma que a preferência deve ser dada àquele que dá ouro, pois isso não pode ser retomado, ao contrário do que acontece com outras coisas, e que pode ser recebido facilmente e também trocado por qualquer outra coisa que ela possa desejar. Coisas como ouro, prata, cobre, bronze, ferro, panelas, mobília, camas, roupas, substâncias aromáticas, cabaças, manteiga, óleos, trigo, gado e outras coisas da mesma natureza, a primeira delas — o ouro — é superior a todas as outras.

Quando o mesmo trabalho é necessário para conseguir dois amantes, ou quando as mesmas coisas são dadas por todos dois, a escolha deve ser feita

tomando conselho a uma amiga, ou baseada nas qualidades pessoais de ambos, ou nos indícios de boa ou má sorte relacionados com eles.

Havendo dois amantes, um dos quais é apegado à cortesã e o outro é simplesmente muito generoso, os sábios dizem que a preferência deve recair sobre o segundo, mas Vatsyayana afirma que o primeiro deve ser preferido, porque pode vir a ser generoso, pois até o miserável dá dinheiro quando se apaixona por uma mulher, mas ao homem que apenas é generoso não se pode obrigar a amar com sinceridade. Mas entre os que amam, se um é pobre e o outro rico, a preferência da cortesã deve recair sobre o segundo, naturalmente.

Havendo dois amantes, um dos quais é generoso e o outro pronto a prestar qualquer serviço à cortesã, os sábios dizem que o segundo deve ser preferido, mas Vatsyayana afirma que o homem que presta um serviço acha que conseguiu seu objetivo prestando esse serviço uma vez, mas o homem generoso não se preocupa com o que deu antes. Mesmo nesse caso, a escolha deve ser orientada pela possibilidade de vantagens futuras a serem obtidas da sua união com qualquer deles.

Quando um dos dois amantes é grato, e o outro, liberal, alguns sábios dizem que o liberal deve ser preferido, mas Vatsyayana afirma que o primeiro deve ser escolhido, porque os liberais são em geral altivos, francos e de pouca consideração para com os outros. Embora a cortesã possa ter mantido relações cordiais com esses homens liberais por muito tempo, se descobrirem nela alguma falta, ou mentiras lhes forem ditas por outras mulheres, não se recordarão de serviços passados e a deixarão abruptamente. Por outro lado, o homem agradecido não rompe imediatamente com ela, tendo consideração pelos esforços que ela possa ter feito para lhe ser agradável. Também nesse caso a escolha deve ser orientada pelo que pode acontecer no futuro.

Quando coincidirem a possibilidade de atender ao pedido de um amigo e a de ganhar dinheiro, os sábios dizem que a segunda deve ser preferida, mas Vatsyayana afirma que o dinheiro tanto pode ser obtido hoje como amanhã, mas, se o pedido do amigo não for atendido, ele pode se aborrecer. Mesmo nesse caso, a escolha deve ser determinada pelo que pode acontecer no futuro.

Nessas ocasiões, porém, a cortesã pode acalmar o amigo fingindo ter algum trabalho a fazer e dizendo-lhe que seu pedido será atendido no dia seguinte e, dessa maneira, preservar a possibilidade de ganhar o dinheiro que lhe foi oferecido.

Quando a possibilidade de ganhar dinheiro e a de evitar algum desastre ocorrerem simultaneamente, os sábios são de opinião de que a primeira deve ser preferida, mas Vatsyayana afirma que o dinheiro tem apenas importância limitada, ao passo que o desastre evitado pode não ocorrer nunca mais. Nesse caso, porém, a escolha deve ser determinada pelas proporções da desgraça.

Os ganhos das cortesãs mais ricas e de melhor classe devem ser gastos das seguintes maneiras:

Na construção de templos, tanques e jardins; na oferta de um milhar de vacas a diferentes brâmanes; na promoção do culto dos deuses e na celebração de festas em sua honra; e, finalmente, na realização das promessas ou votos que estejam ao alcance delas.

Os ganhos das outras cortesãs devem ser gastos das seguintes maneiras:

Para ter um vestido branco para usar todos os dias; para conseguir alimentos e bebidas suficientes para lhes satisfazer a fome e a sede; para comer diariamente uma *tambula* perfumada, isto é, uma mistura de nozes e folhas de bétel; e para usar ornamentos banhados de ouro. Os sábios dizem que esses são os ganhos de todas as classes médias e inferiores de cortesãs, mas Vatsyayana afirma que seus ganhos não podem ser calculados nem fixados de maneira alguma, e dependem da influência do lugar, dos costumes, da aparência da cortesã e de muitas outras coisas.

Quando a cortesã quer afastar um homem de outra mulher, ou quer tomá-lo de outra mulher de quem ele possa gostar, ou privar a outra mulher dos ganhos que lhe são proporcionados por esse homem, ou acreditar que melhorará a sua posição ou terá uma grande sorte, ou se tornará desejada de todos os homens unindo-se a ele, ou se quiser contar com sua proteção para evitar alguma desgraça, ou se gostar realmente dele, ou se quiser fazer mal a alguém por seu intermédio, ou se lhe for grata por algum favor anteriormente prestado, ou se quiser unir-se a ele apenas por desejo – por qualquer uma das razões acima – ela concordará em recebê-lo de maneira cordial e apenas por uma pequena soma de dinheiro.

Quando a cortesã pretende abandonar um amante e ficar com outro, ou quando tiver motivos para acreditar que seu amante está pensando em deixá-la e voltar para suas esposas, ou depois de ter gasto todo o seu dinheiro, o tutor, senhor ou pai dele o levar para longe; ou quando seu amante estiver na iminência de perder seu cargo ou, finalmente, quando ele é de temperamento muito inconstante, ela deve, em qualquer dessas circunstâncias, procurar obter dele o máximo de dinheiro possível e o mais depressa que puder.

Por outro lado, quando a cortesã achar que seu amante vai receber presentes valiosos; ou conseguir um lugar importante na corte; ou está na iminência de herdar uma fortuna, ou que seu navio vai chegar dentro em breve carregado de mercadorias, ou que ele dispõe de grandes estoques de trigo e outras mercadorias, ou que qualquer coisa que lhe for feita poderá ser proveitosa, ou que ele sempre cumpre a palavra, então deve pensar em seu bem-estar futuro, e viver com ele como uma esposa.

Há também alguns versículos sobre o assunto e que são os seguintes:

"Ao levar em conta seus ganhos presentes e seu bem-estar futuro, a cortesã deve evitar as pessoas que tenham ganho a vida com muita dificuldade, bem como as que se tenham tornado egoístas e duras de coração ao se tornarem favoritas do rei."

"Ela deve fazer todo o possível para unir-se a pessoas prósperas e de boa situação, e a pessoas que seria perigoso evitar ou menosprezar de qualquer modo. Mesmo que isso lhe custe alguma coisa, deve travar conhecimento com homens enérgicos e liberais, que, uma vez satisfeitos seus desejos, lhe poderão dar uma grande soma em dinheiro, mesmo que o serviço prestado seja pequeno."

Dos ganhos e perdas, dos ganhos e perdas
suplementares, das dúvidas e também dos
diferentes tipos de cortesãs

Acontece por vezes que, quando se procuram ou esperam ganhos, de nossos esforços só resultem perdas. As causas dessas perdas são:

- Debilidade intelectual
- Amor excessivo
- Orgulho excessivo
- Pretensão excessiva
- Confiança desmedida
- Ira excessiva
- Negligência
- Precipitação
- Influência de um espírito mau
- Circunstâncias acidentais

Os resultados dessas perdas são:

- Despesas sem retorno
- Bem-estar futuro comprometido
- Perda de ganhos em via de serem obtidos
- Perda do que já se tinha

- Irritabilidade
- Misantropia
- Prejuízo para a saúde
- Perda de cabelo e outros acidentes

Os ganhos podem ser de três tipos: de riqueza, de mérito religioso e de prazer. Da mesma forma, as perdas podem ser de três tipos: perda de riqueza, de mérito religioso e de prazer. Quando se procuram determinados ganhos e ocorrem outros, de gênero distinto, estes são chamados de ganhos suplementares. Quando o ganho é incerto, a dúvida a seu respeito é chamada de dúvida simples. Quando se duvida se uma de duas coisas ocorrerá, temos a dúvida mista. Se de um só ato resultam duas conseqüências, a isso se dá o nome de combinação de dois resultados; se vários resultados se seguem da mesma ação, ocorre uma combinação de resultados múltiplos.

Passemos agora aos exemplos desses casos.

Como já dissemos, os ganhos podem ser de três tipos, e as perdas, que a eles se opõem, também podem ser de três tipos.

Quando, vivendo com um homem importante, a cortesã consegue riqueza, e além disso relaciona-se com outras pessoas, o que lhe abre possibilidades de riqueza futura e se torna desejada por todos, ocorre o ganho de riqueza suplementado por outro ganho.

Quando a cortesã recebe dinheiro de outras pessoas além do amante, os resultados são a possibilidade de perdas de vantagens futuras proporcionadas pelo atual amante; a possibilidade de perda da afeição de um homem que lhe é apegado; o ódio de todos; a possibilidade de união com uma pessoa inferior, o que pode destruir as oportunidades de ganhos no futuro. Esse ganho é chamado de ganho de riqueza seguido de perdas.

Quando a cortesã, a suas próprias expensas e sem quaisquer ganhos, tem uma ligação com um homem importante, ou com um ministro avarento com o objetivo de evitar ou abrandar uma desgraça, ou de eliminar uma dificuldade que ameaça a destruição de um grande ganho, essa perda é chamada de perda de riqueza seguida de ganhos futuros, que ela pode proporcionar.

Quando a cortesã é bondosa, mesmo à sua própria custa, para um homem muito avarento, ou um homem que se orgulha de sua aparência, ou um homem ingrato mas hábil na conquista do coração dos outros, sem obter bons resultados dessas ligações, tal perda é chamada uma perda de riqueza não seguida de qualquer vantagem.

Quando a cortesã é boa para com um homem desse tipo, mas que ao mesmo tempo é um dos protegidos do rei, e além disso é cruel e poderoso, e tal ligação não lhe traz nenhum resultado positivo e encerra a possibilidade de ser ela rejeitada a qualquer momento, essa perda é chamada de riqueza seguida de outras perdas.

Dessa maneira, os ganhos e perdas, e os ganhos e perdas suplementares em mérito religioso e em prazer podem ser conhecidos dos leitores, e combinações de todos os seus tipos também podem ser feitas.

Assim terminam as observações sobre os ganhos e as perdas, e os ganhos e as perdas suplementares.

Temos a seguir as dúvidas, que são também de três tipos: sobre a riqueza, sobre os méritos religiosos e sobre os prazeres.

Eis alguns exemplos:

Quando a cortesã não tem certeza de quanto lhe vai dar o homem, ou com ela gastar, a isso se chama dúvida sobre a riqueza.

Quando a cortesã tem dúvidas sobre se estará agindo bem ao deixar totalmente um amante do qual não pode arrancar dinheiro, pois já lhe extorquiu toda a fortuna, essa dúvida recebe o nome de dúvida sobre o mérito religioso.

Quando a cortesã não consegue conquistar um amante de quem gosta, e tem dúvidas quanto à possibilidade de desfrutar com prazer uma pessoa que está cercada da família, ou de uma pessoa inferior, a isso se chama de dúvida sobre o prazer.

Quando a cortesã não tem certeza de que um homem poderoso, mas sem princípios, possa vir a prejudicá-la ou não por não ser delicado para com ela, tem uma dúvida sobre a perda de riqueza.

Quando a cortesã tem dúvidas sobre a perda de mérito religioso que pode advir do abandono de um homem a ela apegado e a quem não concedeu o menor favor, provocando com isso a sua infelicidade neste mundo e no próximo,[1] tal dúvida é chamada de dúvida sobre a perda de mérito religioso.

Quando a cortesã não tem certeza se provocará o desinteresse do amante ao fazer-lhe confidência, revelando o seu amor, e por causa desse desinteresse não conseguir satisfazer seu desejo, temos uma dúvida sobre a perda de prazer.

Assim terminam as observações sobre as dúvidas.

DÚVIDAS MISTAS

Existe uma dúvida mista acerca do ganho de riqueza quando das relações íntimas com um desconhecido, cujo caráter é uma incógnita e que possa ter sido apresentado por um amante ou por alguém que detém um alto cargo, podem resultar tanto o ganho quanto a perda de riqueza.

Surge uma dúvida mista acerca do ganho e perda de mérito religioso quando a cortesã é solicitada por um amigo, ou é impelida por piedade a ter relações com um brâmane erudito, um estudante religioso, um imolador, um devoto ou um asceta, que se possam ter apaixonado por ela e que, conseqüentemente, estar às portas da morte; em tais circunstâncias, ela tanto pode ganhar como perder mérito religioso.

A cortesã pode ter uma dúvida mista acerca do ganho e perda de prazer quando confia exclusivamente nas informações que lhe são dadas por outras pessoas (isto é, em boatos) a respeito de um homem, e o procura sem averiguar se tem boas qualidades ou não; nessas circunstâncias, ela poderá desfrutar ou perder prazer, na medida em que ele for bom ou mau.

Uddalika assim descreveu os ganhos e perdas de ambos os lados:

Se a cortesã obtém riqueza e prazer do amante com quem vive, temos um ganho de ambos os lados.

---

[1] Diz-se que as almas dos homens que morrem sem ter satisfeitos os seus desejos vão para o mundo dos Manes, e não diretamente para o Espírito Supremo.

Chama-se uma perda de ambos os lados quando a cortesã vive com um amante à sua própria custa, sem obter dele qualquer vantagem, e permite que ele até mesmo retome o que lhe tenha dado antes.

Chama-se de dúvida de ambos os lados sobre os ganhos quando a cortesã não tem certeza de que um novo conhecido se ligará a ela, e além do mais, se isso ocorrer, se ele lhe dará alguma coisa.

Há uma dúvida de ambos os lados acerca de perdas quando a cortesã não tem certeza se um antigo inimigo, com quem se reconciliou por iniciativa própria, lhe poderá causar algum dano por causa da sua animosidade contra ela ou ainda se, a ela novamente se ligando, lhe virá a retomar algo que lhe possa ter dado antes.

Babhravya assim descreveu os ganhos e perdas do dois lados:

Temos um ganho de ambos os lados quando a cortesã pode obter dinheiro do homem a quem visita, e também de um homem a quem não possa visitar.

Temos uma perda de ambos os lados quando a cortesã tem de fazer novas despesas ao visitar um homem, correndo o risco de uma perda irremediável se não o fizer.

Quando a cortesã não tem certeza se o homem lhe dará alguma coisa ao visitá-lo, sem que para isso tenha feito despesas ou se, deixando de ir vê-lo, algum outro homem lhe poderá dar dinheiro, a isso se chama uma dúvida dos dois lados sobre o ganho.

Ocorre dúvida de ambos os lados quanto às perdas quando a cortesã não tem certeza se, ao visitar por sua conta um velho inimigo, este não lhe tomará o que lhe possa ter dado antes ou, caso não o visite, fará com que lhe aconteça alguma desgraça.

Combinando os exemplos apresentados acima, temos os seguintes seis tipos de resultados mistos:

• Ganho de um lado, perda de outro
• Ganho de um lado e dúvida de ganho do outro
• Ganho de um lado, e dúvida de perda do outro
• Perda de um lado e dúvida de ganho do outro

- Dúvida de ganho de um lado, e dúvida de perda do outro
- Dúvida de perda de um lado, e perda do outro

Tendo examinado tudo o que foi dito acima, e buscando o conselho de amigos, a cortesã deve agir de modo a obter ganho, a conseguir possibilidade de altos ganhos, a afastar qualquer grande desgraça. O mérito religioso e o prazer também devem ser combinados separadamente, como ocorre com a riqueza, e em seguida devem ser combinados entre si, de modo a formar novas combinações.

Quando a cortesã se une a vários homens, deve fazer com que um deles lhe proporcione tanto dinheiro quanto prazer. Em certas épocas, como as festas da primavera, e outras, ela deve fazer com que sua mãe anuncie aos vários homens que num determinado dia ficará com aquele que lhe satisfizer tais e tais desejos.

Quando um jovem se aproximar da cortesã com prazer, ela deve pensar no que pode realizar por intermédio dele.

As combinações de ganhos e perdas de todos os lados são as seguintes: ganho de um lado e perda de todos os outros; perda de um lado e ganhos de todos os outros; ganhos de todos os lados, perdas de todos os lados.

A cortesã também deve pensar nas dúvidas sobre o ganho e nas dúvidas sobre a perda, com relação tanto à riqueza e ao mérito religioso como ao prazer.

Assim terminam as considerações sobre o ganho, a perda, os ganhos e perdas suplementares, e as dúvidas.

Os diferentes tipos de cortesãs são os seguintes:

- A cafetina
- A criada
- A mulher depravada
- A dançarina
- A artesã
- A mulher que abandonou a família
- A mulher que vive de sua beleza
- E, finalmente, a prostituta comum

Todos esses tipos de cortesãs conhecem os diferentes gêneros de homens e devem refletir sobre as maneiras de conseguir dinheiro deles, de lhes dar prazer, de se separarem deles e de se reconciliarem com eles. As cortesãs também devem levar em conta os ganhos e perdas, os ganhos e perdas suplementares e as dúvidas, de acordo com as suas várias condições.

Assim terminam as considerações sobre as cortesãs.

Há também dois versículos sobre o assunto e que são os seguintes:

"Os homens querem prazeres, enquanto as mulheres querem dinheiro e, por isso, esta parte, que trata dos meios de ganhar dinheiro, deve ser estudada."

"Há certas mulheres que buscam o amor, há outras que buscam o dinheiro; para as primeiras, as maneiras de amar são descritas nas partes anteriores deste livro, enquanto as maneiras de ganhar dinheiro, praticadas pelas cortesãs, são descritas nesta parte."

PARTE VII

DOS MEIOS PARA
ATRAIR OS OUTROS

CAPÍTULO I

Dos adornos pessoais, de como sujeitar o coração dos outros e dos remédios tônicos

Se os processos descritos anteriormente não forem suficientes para que uma pessoa consiga o que deseja, deve então recorrer a outras maneiras de atrair para si a quem deseja.

Boa aparência, boas qualidades, juventude e liberalidade são os principais meios, e os mais naturais, de tornar uma pessoa agradável aos olhos das outras. Na sua ausência, porém, o homem ou a mulher devem recorrer a artifícios, podendo ser úteis as recomendações que se seguem.

O ungüento feito da *tabernamontana coronaria*, do *costus speciosus* ou *arabicus*, e da *flacourtia cataphracta*, pode ser usado como ungüento de adorno.

Se das plantas acima for preparado um fino pó, e aplicado ao pavio de um lampião que queime óleo de vitríolo azul, o pigmento azul então produzido pelo pavio, se aplicado aos cílios, torna adorável a pessoa.

Produzem o mesmo efeito sobre o corpo a *echites putescens*, a planta sarina, o amaranto amarelo e a folha da náiade.

Consegue-se ainda o mesmo resultado com a aplicação de um pigmento negro obtido dessas plantas.

Comendo o pó do *nelumbrium speciosum*, do lótus azul e da *mesna roxburghii*, misturado com a manteiga líquida e o mel, o homem torna-se belo aos olhos dos outros.

Os ingredientes acima, misturados com a *tabernamontana coronaria*, e com o *xanthochymus pictorius*, se usados como ungüento, produzem os mesmos resultados.

Um osso de pavão ou de hiena coberto com ouro e atado à mão direita torna o homem belo aos olhos dos outros.

Os mesmos resultados serão produzidos pelo uso, no pulso, de uma pulseira de sementes de jujuba ou de conchas, depois de encantadas segundo os processos do Atharva Veda ou pelos sortilégios de pessoas versadas na ciência mágica.

Quando uma criada chega à puberdade, seu amo deve mantê-la separada; e, quando os homens a desejarem ardentemente em razão de sua inacessibilidade, deve então dá-la em casamento àquele que lhe possa proporcionar riquezas e felicidade.

Essa reclusão aumenta o encanto da pessoa aos olhos dos outros.

Da mesma forma, quando a filha da cortesã chegar à puberdade, sua mãe deve reunir vários rapazes da mesma idade, dos mesmos gostos e dos mesmos conhecimentos de sua filha, e dizer-lhes que a dará em casamento àquele que oferecer determinados tipos de presentes.

Depois disso, a filha da cortesã deve ser mantida em reclusão tanto quanto possível, e sua mãe deve dá-la em casamento ao homem que estiver disposto a lhe oferecer os presentes pedidos. Se a mãe for incapaz de conseguir as mesmas coisas do seu amante, deve mostrar algumas de suas riquezas e dizer que foram dadas à filha pelo noivo.

A mãe pode permitir que a filha se case privadamente com o homem, como se desconhecesse isso, e em seguida, fingindo que o fato chegou ao seu conhecimento, pode concordar com a união.

A filha da cortesã deve fazer-se atraente para os filhos dos homens ricos, que sua mãe não conhece, fazer com que gostem dela e, com esse objetivo, deve travar conhecimento com eles quando for aprender a cantar, e nos lugares em que se faz música, na casa de outras pessoas e, em seguida, pedir a sua mãe, por, meio de uma amiga ou de uma criada, que lhe seja permitido unir-se ao homem que lhe é mais agradável.[1]

Quando a filha da cortesã é dada, dessa maneira, a um homem, os laços de casamento devem ser observados durante um ano, depois do qual ela pode fazer o que quiser. Mesmo, porém, depois de um ano, quando tiver outro compromisso, se convidada esporadicamente pelo primeiro marido a visitá-lo, deve deixar de lado as vantagens presentes e passar com ele a noite.

É esse o sistema de casamento temporário entre as cortesãs, que lhes aumenta o encanto e o valor aos olhos dos outros. O que se disse sobre ele também se aplica às filhas das dançarinas, que só devem ser dadas em casamento pelas mães às pessoas que lhes possam ser úteis de várias maneiras.

Assim terminam as maneiras de se tornar encantadora aos olhos dos outros.

Se o homem, depois de untar seu linga com uma mistura dos pós de estramônio branco, pimentão e pimenta-do-reino, e mel, praticar a união sexual com uma mulher, sujeita-a a sua vontade.

A aplicação de uma mistura da folha da planta *vatodbhranta*, ou das flores jogadas sobre um cadáver ao ser levado para cremar, e o pó dos ossos do pavão e do pássaro *jiwanjiwa*, produz os mesmos resultados.

Os restos de um milhafre que tenha perecido de morte natural, transformados em pó e misturados com *cowach* e mel, têm o mesmo efeito.

Untando-se com um ungüento feito da planta *emblica myrabolans*, o homem torna-se capaz de sujeitar a mulher a sua vontade.

Cortando em pedaços muito pequenos os brotos da planta *vajnasunhi*, mergulhando-os numa mistura de arsênico vermelho e enxofre, secando-os sete vezes e aplicando sobre o linga o pó assim obtido, e misturado ainda com mel, o homem poderá subjugar totalmente uma mulher, depois de a ter possuído.

---

[1] No oriente, as cortesãs têm o costume de entregar as filhas em casamentos temporários, quando chegam à puberdade e depois de terem recebido instrução no *Kama Sutra* e outras artes. Detalhes disso encontram-se na página 76 de *Early Ideas*, um grupo de histórias hindus, recolhidas e comparadas por Anaryan, W.H. Allen & Co., Londres, 1881.

Se queimar esses mesmos brotos durante a noite e se, contemplando a fumaça, vir através dela uma lua dourada, terá êxito com qualquer mulher. Por outro lado, se o homem lançar sobre uma jovem virgem o pó desses brotos, depois de lhe ter adicionado excremento de macaco, ela não será dada em casamento a mais ninguém.

Depois de se embeberem pedaços da raiz da planta *arris* em óleo de manga, colocam-se esses pedaços durante seis meses num buraco aberto no tronco de uma árvore *sisu*; ao fim desse tempo, aplica-se sobre o linga o ungüento assim obtido, o que, segundo se crê, permitirá ao homem subjugar qualquer mulher.

Outro processo consiste em embeber um osso de camelo no suco da planta *eclipta prostata* e queimá-lo; deve-se, em seguida, colocar o pigmento negro que resulta das suas cinzas numa caixa também de osso de camelo. Quando, juntamente com antimônio, se aplica esse pigmento nas pestanas por meio de um lápis feito de osso de camelo, tal mistura, considerada como muito pura e saudável para os olhos, constitui um meio de subjugar os outros. Conseguem-se os mesmos resultados com o emprego de pigmentos negros obtidos de ossos de falcões, abutres e pavões.

Aqui terminam os meios de sujeitar a vontade dos outros.

Passamos agora aos meios de aumentar o vigor sexual, e que são os seguintes:

Um homem adquire vigor sexual bebendo leite misturado com açúcar, raiz da planta *uchchata*, pimenta *chaba* e alcaçuz.

Beber leite com açúcar, no qual se ferveu um testículo de carneiro ou bode, também provoca vigor sexual.

Consegue-se o mesmo efeito bebendo o sumo das plantas *hedysarum gangeticum, kuili* e *kshirika*, a que se adicionou leite.

A semente do pimentão, juntamente com as sementes de *roxburghiana* e do *hedysarum gangeticum*, todas moídas em conjunto e misturadas com leite, produz resultados semelhantes.

De acordo com autores antigos, o homem que esmagar as sementes ou raízes da *trapa bispinosa*, da *kasurika*, do jasmim toscano e do alcaçuz, juntamente com a *kshirakapoli* (uma espécie de cebola), colocando o pó assim obtido no leite misturado com açúcar e manteiga líquida, fervendo toda essa mistura num fogo brando e ingerindo depois a pasta assim formada, será capaz de desfrutar numerosas mulheres.

Da mesma forma, se o arroz for misturado com ovos de andorinha e essa mistura for fervida no leite, acrescentando-se manteiga derretida e mel, produzirá uma bebida com os mesmos efeitos.

Poderá ter relações sexuais com muitas mulheres aquele que tomar a beberragem obtida com a mistura de cascas de grãos de sésamo e ovos de pardoca. Para prepará-la, fervem-se as cascas embebidas em ovos de pardoca e numa mistura de leite açucarado, a que se adicionou manteiga derretida, frutos da *trapa bispinosa* e da planta *kasurika* farinha de trigo e feijão.

Misturando em partes iguais manteiga derretida, mel, açúcar e alcaçuz, a que se junta suco de funcho e leite, obtém-se verdadeiro néctar, doce, santo, revigorador do apetite sexual e conservador da vida.

Bebendo-se uma mistura do *asparagus racemosus*, da planta *shvadaushtra*, da planta *guduchi*, do pimentão e do alcaçuz, fervidos em leite, mel e manteiga derretida, na primavera, conseguem-se, ao que se diz, os mesmos efeitos acima.

Fervendo em água o *asparagus racemosus*, a planta *shvadaushtra* e os frutos moídos da *premna spinosa*, prepara-se uma bebida que tem as mesmas virtudes.

Beber manteiga fervida, ou clarificada, pela manhã, durante a primavera, faz bem à saúde e fortalece, além de ser agradável ao paladar.

Se forem misturados o pó da planta *shvadaushtra* e a flor da cevada, em partes iguais, e uma porção dessa mistura, ou seja, o peso de suas *palas*, for tomada todas as manhãs ao levantar, terá os mesmos efeitos das receitas anteriores.

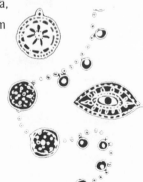

Há também os seguintes versículos sobre o assunto:

"Os meios de provocar o amor[2] e o vigor sexual devem ser aprendidos com a ciência da medicina, dos Vedas, daqueles que são versados nas artes da mágica e com parentes dignos de confiança. Não se devem experimentar meios de efeitos duvidosos, nem que possam fazer mal ao corpo, que exijam o sacrifício de animais e que nos coloquem em contato com coisas impuras. Só devem ser usados os meios santos, reconhecidos como bons, e aprovados pelos brâmanes e pelos amigos."

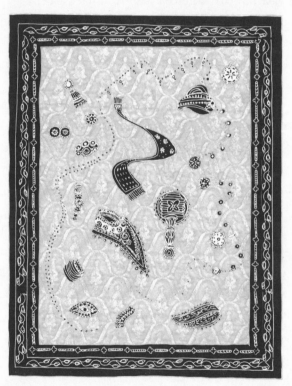

[2] Os autores orientais se têm ocupado, desde épocas remotas, com os afrodisíacos. A nota que apresentamos a seguir foi extraída de uma tradução de obra *Hindoo Art of Love (Anunga Runga)*, a que se faz referência no prefácio da presente obra: "A maior parte dos tratados orientais divide os afrodisíacos em dois tipos diferentes: os mecânicos ou naturais, tais como a escarificação, a flagelação etc., e os medicinais ou artificiais. À primeira série pertence a aplicação de insetos, por exemplo, tal como praticada por determinados povos selvagens. Todos os orientalistas recordam a história do velho brâmane cuja esposa insistia para que ele voltasse a ser picado por uma vespa."

CAPÍTULO II

Das maneiras de provocar o desejo e receitas e experiências variadas

O homem que não puder satisfazer uma Hastini, ou mulher elefanta, deve recorrer a vários meios para excitar-lhe a paixão. Deve, inicialmente, acariciar seu iôni com a mão e os dedos e só dar início ao ato sexual quando ela estiver excitada ou demonstrar prazer. Essa é uma das maneiras de excitar a mulher.

Pode também recorrer a certos Apadravyas, ou coisas que são colocadas sobre o linga, ou em torno dele, para complementar seu tamanho ou grossura, de modo a torná-lo compatível com o iôni. Na opinião de Babhravya, esses Apadravyas devem ser feitos de ouro, prata, cobre, ferro, marfim, chifre de búfalo, vários tipos de madeiras, estanho ou chumbo, e devem ser macios, frescos, provocativos do vigor sexual e bem justos, para servir aos fins a que se pretende. Vatsyayana, porém, afirma que podem ser feitos de acordo com a preferência natural de cada pessoa.

São as seguintes as diferentes espécies de Apadravyas:

A "pulseira" (Valaya), que tem o tamanho do linga e a superfície exterior recoberta de pequenas saliências ásperas.

O "par" (Sanghati), formado de duas pulseiras.

O "bracelete" (Chudaka), composto por duas ou mais pulseiras unidas entre si de modo a cobrir o comprimento do linga.

O "bracelete simples", formado por um fio metálico simples enrolado em torno do linga, de acordo com as suas dimensões.

O "Kantuka" ou "Jalaka" é um tubo aberto nas duas extremidades, oco, tendo áspera a superfície exterior e forrado de pequenas saliências macias, que se ajusta às paredes do iôni, sendo preso à cintura do homem.

Quando não se puder conseguir tal objeto, então poderá ser utilizado um tubo improvisado a partir de um talo de uma cabaça, um pedaço de cana amaciada com óleos e extratos de plantas, atado à cintura com cordões, ou ainda uma série de anéis de madeira polida, unidos entre si.

Os objetos enumerados acima podem ser usados com o linga, ou em seu lugar.

Os meridionais acham que o verdadeiro prazer sexual não pode ser conseguido sem a perfuração do linga, e por isso fazem com que seja perfurado como os lóbulos das orelhas de uma criança, para o uso de brincos.

Quando um jovem perfura seu linga, deve fazê-lo com um instrumento afiado e, em seguida, mergulhá-lo na água enquanto estiver sangrando. Deverá manter relações sexuais à noite, e até mesmo com energia, de modo a limpar o orifício. Depois disso, continuará a lavá-lo com cozimentos, e a aumentar-lhe o tamanho colocando pequenas farpas de cana e da *wrightia antidysenterica*, ampliando dessa forma, aos poucos, o orifício. Este também pode ser lavado com alcaçuz misturado ao mel, e seu tamanho aumentado com a introdução de talos de planta *simapatra*. Finalmente, deverá untar o orifício com um pouco de óleo.

No orifício aberto no linga poderá o homem inserir Apadravyas de diversas formas, tais como o "redondo", o "redondo de um lado", o "morteiro de madeira", a "flor", a "pulseira", o "osso de garça", o "aguilhão do elefante", a "coleção de oito bolas", a "madeixa de cabelo", a "encruzilhada", e outros objetos denominados segundo suas formas e segundo os meios de uso. Todos esses Apadravyas devem ter áspera a superfície externa, segundo as necessidades.

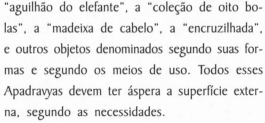

As maneiras de aumentar o tamanho do linga devem ser agora descritas.

Quando o homem quer aumentar seu linga deve esfregá-lo com a penugem de certos insetos, que vivem em árvores, e em seguida, depois de esfregá-lo com óleo durante dez noites, deve voltar a esfregá-lo com a penugem, como antes. Com a continuação, ocorrerá a inchação do linga, devendo o homem deitar numa maca e deixar o linga pendurado, através de um buraco feito nessa maca. Em seguida, deve abrandar a dor provocada pela inchação do linga usando poções frias. A inchação, chamada *Suka*, e que é provocada com freqüência pelos habitantes de Dravida, dura por toda a vida.

Se o linga for esfregado com as plantas *physalis flexuosa*, *shavarakandala*, *jalasuka*, a berinjela, a manteiga de búfalo, a planta *hastri-charma* e a essência da planta *vajrarasa*, ocorrerá uma inchação que dura um mês.

Esfregando-o com óleo fervido no cozimento dos ingredientes acima, será obtido o mesmo efeito, mas pelo prazo de seis meses.

O aumento do linga também é obtido se ele for esfregado ou molhado com óleo fervido em fogo brando juntamente com sementes de romã, pepino, sucos de planta *valuka*, a planta *hasti-charma* e a berinjela.

Além dos meios acima, outros podem ser aprendidos com pessoas experientes e dignas de confiança.

As experiências e receitas diversas são as seguintes:

Se o pó da planta de caule leitoso e da planta *kantaka* for misturado aos excrementos de um macaco e ao pó da raiz da planta *lanjalika*, e essa mistura for lançada sobre uma mulher, ela não amará mais ninguém, depois disso.

Se o homem preparar uma espécie de pasta com os sucos dos frutos da *cassia fistula* e da *eugenia jambolana*, misturando-lhe o pó obtido da planta *soma*, da *vernonia anthelmintica*, da *eclipta prostata* e da *lohopa-jihirka*, e aplicar essa pasta ao iôni da mulher, antes das relações sexuais, seu amor por ela desaparecerá.

Produzem-se os mesmos resultados se o homem tiver relações com uma mulher que se tenha banhado em soro de leite de búfala, a que previamente se adicionou pó da planta *gopalika*, da *banu-padika* e do amaranto amarelo.

Uma mulher consegue levar o marido a repudiá-la se usar um ungüento preparado com flores de *nauclea cadamba*, com bolota e com a planta *eugenia jambolana*.

As grinaldas das flores acima mencionadas, se usadas pela mulher, produzem os mesmos efeitos.

Um ungüento feito da fruta do *asteracantha longifolia* (*kokilaksha*) provocará a contração do iôni da mulher Hastini ou elefanta, por toda a noite.

Um ungüento feito de raízes de *nelumbrium speciosum* esmagadas, e do lótus azul, juntamente com o pó da planta *physalis flexuosa*, misturada com manteiga derretida e mel, aumentará o iôni da mulher Mrigi ou corça.

Um ungüento feito da fruta da *emblica myrabolans* mergulhado no suco leitoso da planta de caule leitoso, da planta *soma*, da *calotropis gigantea*, e do suco da fruta da *vernonia anthelmintica*, tornará brancos os cabelos.

A essência das raízes da planta *madayantaka*, do amaranto amarelo, da planta *anjanika*, da *clitoria ternateca*, e da planta *shlakshnaparni*, usada como loção, fará crescer os cabelos.

O ungüento preparado com a fervura das raízes acima no óleo, não só escurecerá o cabelo, como impedirá sua queda e recuperará os que tenham caído.

Embebendo sete vezes a laca no suor de um testículo de cavalo branco e aplicando-a seguidamente a um lábio vermelho, ele ficará branco.

A cor dos lábios pode ser recuperada pela aplicação da planta *madayantika* e de outras já mencionadas.

A mulher que ouvir um homem tocar uma flauta de cana que tenha sido previamente embebida nos sucos da planta *bahupadika*, da *tabernamontana coronaria*, do *costus speciosus* ou *arabicus*, da *pinus deodora*, da *euphorbia antiquorum*, da *vajra* e da *kantaka*, converte-se em sua escrava.

A mistura do estramônio (*dathura*) com os alimentos provoca envenenamento.

Misturada com óleo e cinzas de qualquer erva, com exceção da *kusha*, a água torna-se da cor do leite.

Se uma mistura obtida com a trituração da *myrabolans* amarela, da bolota, da planta *shrawana* e da *priyangu* for aplicada às vasilhas de ferro, estas adquirem uma cor vermelha.

Quando se acende uma lâmpada cheia de óleo extraído das plantas *shrawana* e *priyangu* e cuja mecha é feita de pano e de escama de serpente, e se colam perto pedaços de madeira compridos, estes tomarão o aspecto de serpentes.

Beber leite de uma vaca que tenha junto de si um vitelo branco é de bom agouro, traz fama e conserva a vida.

As bênçãos dos venerandos brâmanes, bem propiciadas, têm os mesmos efeitos.

Há também alguns versículos, em conclusão:

"Assim escrevi em poucas palavras a 'Ciência do Amor', depois de ter lido os textos dos autores antigos e de acordo com as formas de prazer neles mencionadas."

"Aquele que conhece os verdadeiros princípios dessa ciência respeita Dharma, Artha e Kama, leva em conta as suas próprias experiências, bem como os ensinamentos dos outros, não se deixando conduzir apenas pelos ditames de seus próprios desejos. Quanto aos erros na ciência do amor, que mencionei nesta obra, baseado em minha própria autoridade de autor, foram todos, depois de cuidadosamente censurados, proibidos também."

"Um fato não é nunca visto com tolerância pela simples razão de ser autorizado pela ciência, pois devemos lembrar ser intenção da ciência que suas regras só sejam obedecidas em determinados casos. Depois de lidas e ponderadas as obras de Babhravya e outros autores antigos, e de reflexões sobre o significado das regras por eles formuladas, foi escrito o *Kama Sutra*, em benefício do mundo, segundo os preceitos da Sagrada Escritura, por Vatsyayana, quando estudante da religião e inteiramente entregue à contemplação da Divindade."

"Esta obra não deve ser usada apenas como instrumento para a satisfação de nossos desejos. Aquele que conhece os verdadeiros princípios desta ciência e que preserva seu Dharma, Artha e Kama, e que respeita os costumes, certamente conseguirá dominar seus sentidos."

"Em suma, o homem sagaz e prudente, praticando Dharma, Artha e também Kama, sem se tornar escravo de suas paixões, consegue êxito em todos os seus empreendimentos."

OBSERVAÇÕES FINAIS

Assim termina, em sete partes, o *Kama Sutra* de Vatsyayana, que também poderia ser chamado de tratado sobre os homens e as mulheres, suas relações mútuas e ligações entre si.

É uma obra que deve ser estudada por todos, velhos e moços; os primeiros encontrarão nela verdades autênticas, reunidas e já comprovadas pela experiência, enquanto os segundos terão grandes vantagens em aprender coisas que talvez não aprendessem nunca, sem este livro, ou só aprendessem tarde demais ("tarde demais", as palavras imortais de Mirabeau) para que lhes fossem de utilidade.

A obra também pode ser recomendada, com razão, ao estudioso da ciência social e da humanidade e, acima de tudo, ao estudante de idéias de épocas antigas, que aos poucos se filtraram pelas areias do tempo e que parecem provar que a natureza humana de hoje é exatamente a mesma das épocas passadas.

Já se disse de Balzac (o grande, se não o maior romancista francês) que ele parecia ter herdado uma percepção natural e intuitiva dos sentimentos dos homens e das mulheres, e os descreveu com uma capacidade de análise digna de um cientista. O autor deste livro também deveria ser dono de considerável conhecimento da humanidade. Muitas de suas observações estão tão cheias de simplicidade e autenticidade que resistiram à prova do tempo e ainda se destacam com a mesma clareza e validade que tinham ao serem feitas pela primeira vez, há cerca de 1.800 anos.

Como coleção de fatos descritos em linguagem simples e direta, devemos lembrar que naqueles dias do passado não havia, ao que tudo indica, a preocupação de embelezar a obra, seja com um estilo literário, uma fluência de linguagem ou enxertos supérfluos. O autor diz o que sabe em linguagem muito concisa, sem qualquer esforço para produzir uma história interessante. Partindo de seus fatos, quantos romances poderiam ser escritos! Realmente, grande parte da matéria contida nas partes III, IV, V E VI constituiu a base das histórias e contos dos últimos séculos.

Na parte VII encontram-se algumas receitas curiosas. Muitas delas parecem ser tão primitivas quanto o próprio livro, mas em obras posteriores e da mesma natureza tais receitas e fórmulas parecem ter aumentado, tanto em qualidade como em quantidade. O *Anunga Runga*, ou *O palco do amor*, mencionado no Prefácio, refere-se a nada menos do que 33 problemas diferentes, para os quais são fornecidas 130 receitas e fórmulas.

Como os detalhes podem ter interesse para os leitores, relacionamos a seguir os casos a que tais receitas se aplicam:

- Para apressar o paroxismo da mulher
- Para retardar o orgasmo do homem
- Afrodisíacos
- Para fortalecer e engrossar o linga, tornando-o forte, duro e potente
- Para estreitar e contrair o iôni
- Para perfumar o iôni
- Para extrair e destruir os pêlos do corpo
- Para provocar o fluxo menstrual
- Para reduzir o fluxo menstrual imoderado
- Para purificar o útero
- Para engravidar
- Para evitar abortos e outros acidentes
- Para assegurar um parto fácil e rápido
- Para limitar o número de filhos

- Para fortalecer e embelezar o cabelo
- Para conseguir dar ao cabelo uma bela tonalidade de preto
- Para descolorir e embranquecer
- Para o renovar
- Para eliminar as erupções da pele que deixam marcas escuras
- Para tornar menos escura a epiderme
- Para aumentar os seios das mulheres
- Para elevar e endurecer os seios caídos
- Para perfumar a pele
- Para acabar com o cheiro desagradável da transpiração
- Para passar no corpo depois do banho
- Para tornar o hálito agradável
- Drogas e feitiços para fascinar, conquistar e sujeitar homens e mulheres
- Receitas que possibilitam à mulher cativar e assegurar o amor do marido
- Colírios mágicos para conseguir amor e amizade
- Receitas para sujeitar outras pessoas
- Filtros e outros sortilégios
- Incensos ou fumigações que fascinam
- Versos mágicos, que têm o poder de fascinar

Muitas das 130 receitas dadas são absurdas, mal talvez não o sejam mais do que muitas das receitas e fórmulas usadas ainda recentemente na Europa. Os filtros amorosos, os feitiços e os remédios baseados em ervas foram, em outros tempos, usados tão intensamente na Europa quanto na Ásia, sendo fora de dúvida que algumas pessoas, em muitos lugares, ainda acreditam neles.

E agora, uma palavra sobre o autor da obra, o bom velho sábio Vatsyayana. É de lamentar, e muito, que nada se tivesse descoberto sobre sua vida e onde viveu. No final da parte VII ele declara que escreveu o livro quando levava a vida de estudante religioso (provavelmente em Benares) e quando estava totalmente dedicado à contemplação da Divindade. Deveria ter certa idade nessa ocasião, pois em todo o livro nos oferece os conhecimentos advindos de sua experiência e de suas opiniões, que trazem antes a marca da idade do que da juventude. Na realidade, a obra dificilmente poderia ter sido escrita por um jovem.

Num belo versículo dos Vedas dos cristãos fala-se dos mortos que repousam em paz, acompanhados de suas obras. Sim, é fora de dúvida que as obras dos homens de gênio os acompanham e perduram como um tesouro perene. E, embora se possa discutir a imortalidade do corpo ou da alma, ninguém pode negar a imortalidade do gênio, que permanece sempre como uma brilhante estrela guia para a humanidade em luta através dos tempos. Esta obra, portanto, que resistiu à prova dos séculos, colocou Vatsyayana entre os imortais, e para Isso, bem como para Ele, não poderia haver melhor elegia ou elogio do que os versos seguintes:

Enquanto os lábios beijem e os olhos vejam,
Enquanto Isto viver e a ti der vida.

ESTE LIVRO FOI COMPOSTO PELA
FOLIO DESIGN, EM BAKER SIGNET, E
IMPRESSO POR GEOGRÁFICA E EDITORA.